LIVRE DE CUISINE
AUX SAVEURS D'ICI ET D'AILLEURS

MARC DE CANCK

LA CHRONIQUE

LIVRE DE CUISINE AUX SAVEURS D'ICI ET D'AILLEURS

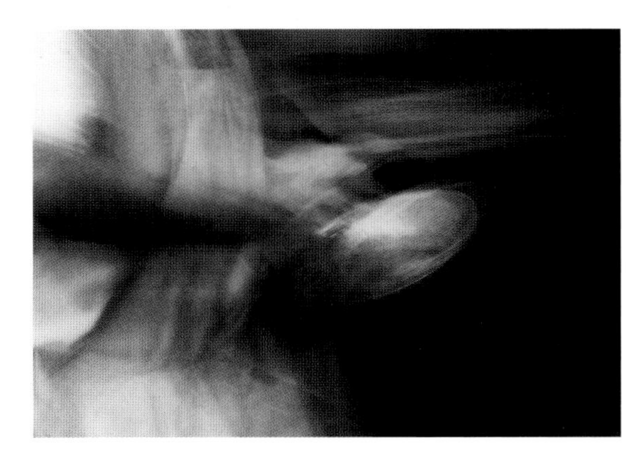

ÉDITEUR
LA CHRONIQUE
99, rue Laurier Ouest Montréal (Québec) H2T 2N6 Canada
Tél. : (514) 271-3095 • Télécopieur : (514) 2714770

Dépôt légal : Bibliothèque nationale du Québec, 1999.
Dépôt légal : Bibliothèque nationale du Canada, 1999.

Photos : Marc De Canck
Conception graphique et mise en pages : Olivier Lasser

ISBN 2-9806315-0-7
Imprimé au Canada

Préface

« Ne me dérangez pas je suis profondément occupé ». Tel est le premier vers du poème *Le Jeu* du poète québécois Saint-Denys Garneau mettant en scène un enfant jouant avec ses cubes, créant son propre univers imaginaire. Cet enfant si concentré qui s'amuse allègrement ressemble étrangement à Marc De Canck.

PHOTO: CHRISTIAN LACROIX

Ce chef cuisinier heureux joue de son art avec perfection, rigueur, amusement, sans fausse note. D'un coup de baguette, il fait danser et valser les produits les plus divers.

Tel un chef d'orchestre, il connaît sa partition par cœur. Il vous fera découvrir de véritables symphonies de saveurs, des plats aux accents d'ici et d'ailleurs où chaque ingrédient confère une note unique au plat. Véritable musicien des papilles, Marc sait créer une recette avec art où comme par enchantement, sauces, poissons, accompagnements composent un assemblage des plus harmonieux.

Il vous surprendra par des alliages savamment étudiés depuis son restaurant La Chronique. Tel un parfumeur avec ses flacons en quête de nouvelles fragrances jamais imaginées, en quête de l'impossible, de l'utopique, la cuisine de Marc De Canck ne vous laissera pas indifférent.

Ce peintre du goût, ce créateur de véritables tableaux vous lègue son pinceau, sa baguette de chef d'orchestre. Il veut vous transmettre, chers lecteurs, sa passion pour la cuisine.

Vous l'aurez sans doute compris : ce livre n'est pas un livre de recettes ordinaire. Que l'on soit cuisinier amateur ou cuisinier averti, il y aura toujours place à la réflexion et à l'excitation de reproduire ou d'improviser, de jouer une recette avec les nombreuses références du livre.

Véronique Bigras

Chaque personne reçoit la formation et l'initiation d'un maître. Ce maître, il y a longtemps que je ne l'ai pas vu et il est toujours présent dans mes pensées. Merci à Gérard Riveau qui m'a donné la connaissance et l'élan pour approfondir mes recherches dans cet univers qu'est la cuisine.

Remerciements

Écrire un livre est une aventure que l'on commence seul et dont on ignore le déroulement. Soudainement, on rencontre des personnes sur son chemin qui nous accompagnent dans cette expérience. Merci à tous ces gens qui m'ont soutenu dans cette aventure.

Voici donc les aventuriers :

Louise Duclos, ma source de vie.

Mes parents qui aiment le dépassement et qui ont le goût de vivre.

M.& Mme Stafford pour m'avoir ouvert la porte sur le Québec.

Luis Viorklumds pour son soutien dans la cuisine du Restaurant La Chronique.

Véronique Bigras qui met les points sur les *i*.

Bernard Duclos qui recherche les mots avec passion.

Sylvain Leduc pour sa loyauté.

Johanne Beaulieu pour son humour et sa constance.

Luc-André Larouche pour sa légèreté et sa profondeur.

Roberto Villanueva pour sa discrétion.

Olivier Lasser pour son ouverture et sa créativité.

Et vous…

LES FONDS

Bouillon de légumes ❦ Bouillon de volaille ❦ Fond d'agneau ou glace d'agneau
Fond de canard ❦ Fond de veau ❦ Fumet de poisson ❦ Fumet océane

BOUILLON DE LÉGUMES

3	**oignons**
2	**carottes**
2	**gousses d'ail**
1	**branches de céleri**
2	**poireaux**
30 ml (2 c. à soupe)	**beurre**
3 l (12 tasses)	**eau**
1	**botte de persil**
1	**anis étoilé**
3	**feuilles de laurier**
15 ml (1 c. à soupe)	**thym frais**
5 ml (1 c. à thé)	**romarin**
quantité suffisante	**sel et poivre blanc**

- Éplucher et émincer les légumes.
- Faire fondre le beurre dans une casserole et faire suer légèrement les légumes.
- Mouiller avec de l'eau froide et ajouter les herbes et épices.
- Laisser frémir ce bouillon pendant 60 minutes.
- Passer le bouillon au chinois et le laisser reposer au réfrigérateur pendant 24 heures.
- Le lendemain, retirer la pellicule de gras sur le dessus et filtrer à nouveau le bouillon à l'aide de d'un coton à fromage.

BOUILLON DE VOLAILLE

1	**poulet à bouillir**
1	**poireau**
2	**oignons**
2	**carottes**
2	**branches de céleri**
30 g (1 oz)	**queues de persil**
4	**feuilles de laurier**
5 ml (1 c. à thé)	**thym**
quantité suffisante	**eau**
quantité suffisante	**sel et poivre blanc**

- Laver et éplucher le poireau, les oignons, les carottes, les branches de céleri et les tailler en mirepoix.
- Mettre tous les ingrédients dans un chaudron et recouvrir d'eau froide.
- Saler et poivrer légèrement.
- Porter à ébullition pendant quelques minutes puis diminuer ensuite le degré de chaleur et laisser frémir pendant 60 minutes.
- Enlever délicatement le poulet du bouillon et faire réduire de moitié (environ un litre après la réduction).
- Passer le bouillon à l'étamine et le dégraisser.
- Laisser refroidir le bouillon puis le mettre au réfrigérateur.
- Le lendemain, enlever la pellicule de gras sur le dessus du bouillon.

FOND D'AGNEAU

OU GLACE D'AGNEAU

- Recette identique à celle du fond de veau (mais il faut remplacer les os de veau par les os d'agneau).
- Pour la glace d'agneau, faire réduire le fond pour obtenir 300 ml, (1 1/4 tasse).

FOND DE CANARD

1	poireau
3	oignons
4	carottes
2	branches de céleri
2	carcasses de canard
30 ml (2 c. à soupe)	huile
30 ml (2 c. à soupe)	beurre
60 ml (4 c. à soupe)	pâte de tomates
4	feuilles de laurier
5 ml (1 c. à thé)	thym
2	clous de girofle
5	baies de genièvre
6 l (24 tasses)	eau
quantité suffisante	sel et poivre blanc

- Laver et éplucher le poireau, les oignons, les carottes, les branches de céleri et les tailler en gros morceaux.
- Couper les carcasses de canard en petits morceaux.
- Dans un chaudron, faire chauffer l'huile et le beurre puis y faire revenir les carcasses de canard.
- Mettre tous les autres ingrédients dans le chaudron et recouvrir d'eau froide.
- Saler et poivrer légèrement.
- Faire bouillir pendant 10 minutes puis diminuer le degré de chaleur et laisser frémir pendant 90 minutes.
- Filtrer ensuite le fond et faire réduire de moitié (environ 1 litre après la réduction).
- Laisser refroidir le bouillon puis le mettre au réfrigérateur.
- Le lendemain, enlever la pellicule de gras sur le dessus du bouillon.

FOND DE VEAU

500 ml (2 tasses)	**oignons**
2	**branches de céleri**
2	**carottes**
30 g (1 oz)	**queues de persil**
3 kg (7 lb)	**os de veau**
30 ml (2 c. à soupe)	**pâte de tomates**
6 l (24 tasses)	**eau froide**
2	**feuilles de laurier**
5 ml (1 c. à thé)	**thym**
quantité suffisante	**sel et poivre blanc**

- Préchauffer le four à 230°C (450°F).
- Éplucher et émincer les légumes ; les couper grossièrement.
- Déposer les os de veau dans une plaque à rôtir allant au four.
- Faire pincer les os pendant 15 minutes, les retourner et y ajouter les légumes ainsi que la pâte de tomates.
- Laisser encore cuire les os pendant 30 minutes environ.
- Les retirer et les déposer dans un chaudron dans 6 litres d'eau froide.
- Assaisonner et ajouter les herbes.
- Faire bouillir pendant 3 minutes ; réduire le degré de chaleur et laisser frémir lentement pendant 6 heures en écumant de temps en temps.
- Ajouter au besoin un peu d'eau en cours de préparation.
- Filtrer ensuite et garder ce fond pour diverses préparations (2 litres).

FUMET DE POISSON

1 kg (2 lb 3 oz)	**parures de poisson**
2	**oignons**
1	**branche de céleri**
1/2	**botte de persil**
2	**feuilles de laurier**
1	**citron**
250 ml (1 tasse)	**vin blanc**
1 l (4 tasses)	**eau**
5 ml (1 c. à thé)	**graines de coriandre**
quantité suffisante	**sel et poivre blanc**

- Laver les parures de poisson à l'eau froide.
- Les couper en morceaux.
- Émincer les légumes et les ajouter aux parures ainsi que tous les autres ingrédients de la recette (le citron devra être pelé et couper en deux).
- Mouiller avec l'eau froide et le vin.
- Faire bouillir le fumet pendant 1 minute puis réduire le degré de chaleur.
- Laisser cuire pendant 40 minutes puis filtrer.
- Faire le fumet 24 heures à l'avance afin de le laisser reposer au réfrigérateur.

FUMET OCÉANE

500 g (1 1/4 lb)	**arêtes de poisson**
250 ml (1 tasse)	**jus de clamato**
750 ml (3 tasse)	**eau**
4	**anis étoilés**
2	**branches de citronnelle**
15 ml (1 c.à soupe)	**gingembre haché**
250 ml (1 tasse)	**oignons**
125 ml (1/2 tasse)	**carottes**
5 ml (1 c. à thé)	**curcuma**
125 ml (1/2 tasse)	**coriandre fraîche hachée**
2	**gousses d'ail**
quantité suffisante	**sel et poivre blanc**

- Laver les arêtes de poisson à l'eau froide et si possible les faire dégorger au réfrigérateur pendant 24 heures.
- Le lendemain, mettre tous les ingrédients dans un chaudron et faire bouillir pendant 1 minute.
- Diminuer le degré de chaleur et laisser frémir pendant 60 minutes (il ne faut plus que le fumet océane bouillonne).
- Passer ensuite le fumet à l'étamine.

Si vous avez trop de fumet, vous pouvez toujours le congeler mais pas plus de 30 jours.

LES SAUCES ET VINAIGRETTES

Huile de coriandre • Huile de crevettes
Huile de graines de citrouille • Salsa de champignons forestiers
Salsa de poivrons et poires au cari rouge
Salsa de poivrons rouges, tomates séchées et câpres
Sauce cabernet sauvignon • Sauce chardonnay • Sauce miel d'épices
Sauce secrète • Sauce Tex-Mex Chronique
Sauce aux tomates et poivrons rouges • Sauce wasabi
Suc de porto • Vinaigre de raisins de Corinthe • Vinaigrette Chronique
Vinaigrette de tomates et d'ail grillés • Vinaigrette orientale

HUILE DE CORIANDRE

125 ml (1/2 tasse)	**huile d'arachide**
1	**botte de coriandre**
60 ml (4 c. à soupe)	**coriandre en grains**
5 ml (1 c. à thé)	**sel**
5 ml (1 c. à thé)	**poivre blanc**

- Mettre tous les ingrédients dans un robot culinaire et laisser turbiner pendant 8 minutes.
- Passer cette pâte à l'étamine et la presser très fortement.
- Garder l'huile au réfrigérateur.

HUILE DE CREVETTES

200 g (7 oz)	**carcasses de crevettes**
500 ml (2 tasses)	**huile de canola**
1	**oignon**
1	**branche de céleri**
1	**carotte**
30 g (1 oz)	**queues de persil**
6	**feuilles de laurier**
5 ml (1 c. à thé)	**thym frais**
15 ml (1 c. à soupe)	**estragon**
5 ml (1 c. à thé)	**safran en pistil**
125 ml (1/2 tasse)	**vin blanc**
quantité suffisante	**sel et poivre blanc**

- Faire suer les carcasses de crevettes dans 125 ml (1/2 tasse) d'huile.
- Éplucher et émincer les légumes.
- Ajouter les légumes et les herbes aux carcasses.
- Assaisonner et faire suer le tout pendant 5 minutes environ.
- Ajouter le vin blanc et laisser mijoter pendant 10 minutes.
- Après cette opération, ajouter le restant d'huile.
- Diminuer le degré de chaleur et laisser mijoter pendant 25 minutes environ.
- Laisser refroidir l'huile avec les carcasses puis conserver au réfrigérateur pendant 24 heures.
- Le lendemain, avant de filtrer l'huile, la retirer du réfrigérateur et la laisser à la température de la pièce pendant 2 heures.
- L'huile de crevettes peut se conserver au réfrigérateur pendant 4 jours.

HUILE DE GRAINES DE CITROUILLE

250 ml (1 tasse)	**huile de tournesol**
250 ml (1 tasse)	**graines de citrouille**
5 ml (1 c. à thé)	**sel**

- Mettre tous les ingrédients dans un robot culinaire et laisser turbiner pendant 8 minutes.
- Mettre cette pâte dans un bocal et la laisser macérer pendant 24 heures.
- Brasser la pâte de temps en temps.
- Passer ensuite le tout à l'étamine et ne conserver que l'huile.
- Remettre dans le bocal et laisser reposer pendant 48 heures.

SALSA DE CHAMPIGNONS FORESTIERS

500 ml (2 tasses)	**champignons forestiers déshydratés**
2	**oignons**
8	**gousses d'ail**
3	**tomates**
30 ml (2 c. à soupe)	**beurre**
250 ml (1 tasse)	**bouillon de volaille (voir recette)**
10 ml (2 c. à thé)	**tabasco**
45 ml (3 c. à soupe)	**abné**
1	**bouquet de coriandre**
quantité suffisante	**sel et poivre blanc**

- Faire tremper les champignons dans beaucoup d'eau pour les faire gonfler (3 heures environ).
- Les rincer ensuite plusieurs fois à l'eau pour leur enlever toute trace de terre et d'impuretés.
- Éplucher et émincer les oignons, l'ail et les tomates.
- Dans une casserole, faire chauffer le beurre et faire suer les oignons, l'ail et les champignons (jusqu'à ce qu'ils soient colorés).
- Ajouter le bouillon de volaille, le sel, le poivre, le tabasco et les tomates émincées.
- Laisser mijoter tranquillement jusqu'à l'évaporation du liquide.
- Laisser refroidir cet appareil puis ajouter l'abné et la coriandre hachée.
- Conserver au réfrigérateur un maximum de 3 jours.

SALSA DE POIVRONS

ET POIRES AU CARI ROUGE

2	**poivrons rouges**
2	**poires**
2	**échalotes françaises**
30 ml (2 c. à soupe)	**huile d'olive**
10 ml (2 c. à thé)	**cari rouge**
60 ml (4 c. à soupe)	**vinaigre de riz**
125 ml (1 tasse)	**bouillon de volaille (voir recette)**

- Laver et éplucher les poivrons et les poires.
- Enlever le cœur des poires.
- Couper les poivrons, les poires et les échalotes en brunoise.
- Dans une casserole, faire chauffer l'huile d'olive et faire suer à feu doux les légumes et les poires pendant 7 minutes environ.
- Ajouter le cari rouge.
- Déglacer la préparation avec le vinaigre de riz.
- Laisser mijoter pendant 5 minutes.
- Ajouter le bouillon de volaille; laisser mijoter pour obtenir une sauce plus ou moins consistante.
- Laisser refroidir la salsa puis conserver au réfrigérateur.

La salsa peut agrémenter des plats de poissons ou des grillades de volaille.
Si on aime les plats épicés, on peut y rajouter du cari rouge.

SALSA DE POIVRONS ROUGES,

TOMATES SÉCHÉES ET CÂPRES

60 ml (4 c. à soupe)	**oignons rouges**
250 ml (1 tasse)	**poivrons rouges**
125 ml (1/2 tasse)	**tomates séchées sans huile**
60 ml (4 c. à soupe)	**huile d'olive**
2	**gousses d'ail**
60 ml (4 c. à soupe)	**bouillon de volaille (voir recette)**
60 ml (4 c. à soupe)	**câpres**
15 ml (1 c. à soupe)	**origan frais**
30 ml (2 c. à soupe)	**chapelure de pain**
quantité suffisante	**sel et poivre noir**

- Éplucher et couper en mirepoix les oignons, les poivrons rouges et les tomates séchées.
- Faire chauffer l'huile d'olive dans une casserole et y écraser l'ail ; faire suer les légumes quelques instants puis ajouter le bouillon de volaille et les câpres.
- Laisser mijoter pendant 15 minutes ; assaisonner et ajouter l'origan haché et la chapelure de pain.
- Laisser refroidir

Ce plat peut être servi comme accompagnement avec le gaspacho d'avocats aux amandes ou avec des viandes froides.

SAUCE CABERNET SAUVIGNON

500 ml (2 tasses)	**oignons**
15 ml (1 c. à soupe)	**huile d'olive**
15 ml (1 c. à soupe)	**beurre doux**
500 ml (2 tasses)	**vin rouge (cabernet sauvignon)**
2 l (8 tasses)	**fond de veau (voir recette)**
2	**feuilles de laurier**
10 ml (2 c. à thé)	**thym frais**
quantité suffisante	**sel et poivre blanc**

- Éplucher et émincer les oignons.
- Dans un chaudron, faire chauffer l'huile, le beurre et faire suer les oignons (il faut que les oignons soient très colorés ; assaisonner).
- Ajouter le vin rouge puis, lorsque le tout bouillonnera, faire flamber l'alcool.
- Laisser réduire de moitié et y ajouter le fond de veau ainsi que les herbes.
- Diminuer le degré de chaleur puis faire réduire la sauce cabernet du 2/3.
- Écumer afin d'avoir une sauce brillante.
- Filtrer la sauce.

SAUCE CHARDONNAY

2	**oignons**
2	**gousses d'ail**
15 ml (1 c. à soupe)	**beurre doux**
250 ml (1 tasse)	**vin blanc (chardonnay)**
3	**feuilles de laurier**
80 ml (1/3 tasse)	**crème 35 %**
500 ml (2 tasses)	**fumet de poisson (voir recette)**
quantité suffisante	**sel et poivre blanc**

- Éplucher et émincer les oignons et l'ail.
- Dans une casserole, faire chauffer le beurre et faire suer sans coloration les oignons et l'ail.
- Y ajouter le chardonnay puis faire réduire la sauce du 2/3.
- Y ajouter le laurier, la crème et le fumet de poisson.
- Laisser frémir et faire réduire à nouveau du 2/3.
- Passer ensuite au chinois.

SAUCE MIEL D'ÉPICES

1	**oignon**
1	**gousse d'ail**
60 ml (4 c. à soupe)	**miel**
60 ml (4 c. à soupe)	**vinaigre d'érable**
1 l (4 tasses)	**jus d'ananas**
30 ml (2 c. à soupe)	**grains de coriandre**
1	**anis étoilé**
3	**feuilles de laurier**
5 ml (1 c. à thé)	**sambal oelek**
quantité suffisante	**sel et poivre noir**

- Éplucher et émincer l'oignon et l'ail.
- Dans une casserole, faire chauffer le miel jusqu'à ce qu'il caramélise.
- Ajouter le vinaigre d'érable puis laisser réduire du 2/3.
- Ajouter l'oignon, l'ail et tous les autres ingrédients puis laisser frémir. (Il faut que la sauce miel d'épices ait réduit du 2/3 afin qu'elle ait une consistance sirupeuse.)
- Passer la sauce miel d'épices à l'étamine puis conserver au frais.

SAUCE SECRÈTE

4	**échalotes vertes**
1	**gousse d'ail**
125 ml (1/2 tasse)	**mayonnaise**
60 ml (4 c. à soupe)	**moutarde de Dijon**
60 ml (4 c. à soupe)	**ketchup**
10 ml (2 c. à thé)	**wasabi**
30 ml (2 c. à soupe)	**vinaigre de riz**
15 ml (1 c. à soupe)	**épices cajun**
5 ml (1 c. à thé)	**coriandre moulue**

- Laver et émincer très finement les échalotes et l'ail.
- Mélanger tous les ingrédients dans un cul-de-poule.
  (On peut ajouter un peu d'eau pour rendre la sauce plus liquide.)
- Conserver au réfrigérateur.

SAUCE TEX-MEX CHRONIQUE

2	**oignons**
10 ml (2 c. à thé)	**ail**
5	**tomates**
3	**poivrons rouges**
45 ml (3 c. à soupe)	**huile d'olive**
15 ml (1 c. à soupe)	**pâte de tomates**
125 ml (1/2 tasse)	**sucre brun**
30 ml (2 c. à soupe)	**moutarde de Dijon**
30 ml (2 c. à soupe)	**vinaigre de cidre**
15 ml (1 c. à soupe)	**jus de lime**
30 ml (2 c. à soupe)	**Worcestershire**
5 ml (1 c. à thé)	**tabasco**
5 ml (1 c. à thé)	**cumin moulu**
quantité suffisante	**sel et poivre noir**

- Éplucher les oignons, l'ail et émincer ensuite tous les légumes.
- Dans une casserole, faire chauffer l'huile d'olive et faire suer les légumes.
- Après quelques minutes de cuisson, ajouter tous les autres ingrédients puis laisser mijoter pendant 25 minutes.
- Faire turbiner la sauce au robot culinaire puis la filtrer au chinois.
- Conserver cette sauce au réfrigérateur.

SAUCE AUX TOMATES
ET POIVRONS ROUGES

1	oignon
3	tomates
125 ml (1/2 tasse)	poivrons rouges
15 ml (1 c. à soupe)	pâte de tomates
125 ml (1/2 tasse)	bouillon de volaille
60 ml (4 c. à soupe)	crème 35 %
5 ml (1 c. à thé)	sel de céleri
quantité suffisante	poivre blanc

- Éplucher et émincer l'oignon.
- Laver et émincer les tomates et les poivrons rouges.
- Mettre tous les ingrédients dans une casserole.
- Faire cuire à faible ébullition pendant 30 minutes.
- Après la cuisson, faire turbiner la sauce au robot culinaire.
- Filtrer la sauce.

(On peut rectifier l'assaisonnement en ajoutant des épices comme le pili-pili.)

SAUCE WASABI

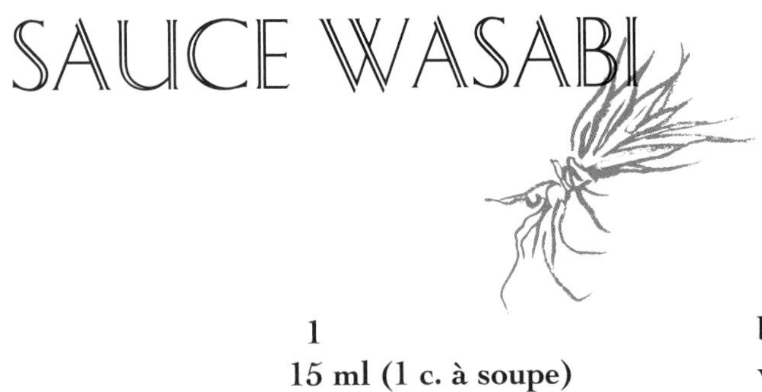

1	**botte d'aneth**
15 ml (1 c. à soupe)	**vinaigre de riz**
125 ml (1/2 tasse)	**mayonnaise**
15 ml (1 c. à soupe)	**miel**
15 ml (1 c. à soupe)	**wasabi**
quantité suffisante	**sel et poivre blanc**

- Laver l'aneth et l'essorer.
- Mettre dans un robot culinaire tous les ingrédients et faire turbiner pendant 5 minutes.
- Passer ensuite l'appareil à l'étamine.
- Rectifier l'assaisonnement au besoin.
- Garder au réfrigérateur.

On peut utiliser cette sauce froide avec les poissons, les volailles ou les gibiers.

SUC DE PORTO

250 ml (1 tasse)	**porto**
125 ml (1/2 tasse)	**vin rouge**
60 ml (4 c. à soupe)	**jus de cassis**
10 ml (2 c. à thé)	**fécule de maïs**
30 ml (2 c. à soupe)	**sucre**
quantité suffisante	**poivre blanc**

- Mettre dans une casserole le porto, le vin, le jus de cassis, le poivre blanc et le sucre.
- Porter à ébullition puis flamber l'alcool.
- Faire réduire de moitié.
- Lier à la fécule de maïs.
  (Attention de ne pas vous brûler et de mettre le feu en cuisine
  quand vous flamberez l'alcool.)

VINAIGRE DE RAISINS DE CORINTHE

1 l (4 tasses)	**vinaigre de Champagne**
500 ml (2 tasses)	**raisins de Corinthe**
30 ml (2 c. à soupe)	**sel**
15 ml (1 c. à soupe)	**poivre blanc en grains**

- Faire chauffer le vinaigre de Champagne sans le faire bouillir.
- Mettre tous les ingrédients secs dans un bocal et les recouvrir du vinaigre de Champagne.
- Laisser refroidir et fermer hermétiquement.
- Secouer de temps à autre le bocal afin de bien mélanger tous les ingrédients.
- Laisser reposer dans un endroit frais et sombre pendant 1 mois.
- Après ce mois de repos, filtrer le vinaigre à l'aide d'un coton à fromage.

VINAIGRETTE CHRONIQUE

10	**gousses d'ail**
1	**œuf**
15 ml (1 c. à soupe)	**moutarde**
500 ml (2 tasses)	**huile d'olive**
60 ml (4 c. à soupe)	**tamari**
60 ml (4 c. à soupe)	**vinaigre de riz**
15 ml (1 c. à soupe)	**coriandre en poudre**
30 ml (2 c. à soupe)	**vinaigre balsamique**
quantité suffisante	**eau tiède**
quantité suffisante	**sel de céleri**

- Éplucher l'ail.
- Dans un robot culinaire, mettre l'œuf, la moutarde et un peu d'huile d'olive.
- Faire turbiner et ajouter progressivement les autres ingrédients.
- Laisser encore turbiner pendant 3 minutes.
- Rectifier l'assaisonnement de sel et de poivre.
  (Si la vinaigrette est trop épaisse, ajoutez-y un peu d'eau tiède.)
- Passer cette vinaigrette au tamis.
- La conserver au réfrigérateur.

Cette vinaigrette est idéale pour les salades et pour faire mariner les poissons destinés aux grillades.
Cette vinaigrette remplacera agréablement celle qui est servi au RESTAURANT LA CHRONIQUE.
Je ne peux vous dévoiler la recette originale sous peine de réprimande.

VINAIGRETTE DE TOMATES

ET D'AIL GRILLÉS

4	**tomates**
1	**gousse d'ail**
30 ml (2 c. à soupe)	**huile d'olive**
2.5 ml (1/2 c. à thé)	**poivre noir**
5 ml (1 c. à thé)	**sel**
45 ml (3 c. à soupe)	**vinaigre d'érable**
15 ml (1 c. à soupe)	**ciboulette**
80 ml (1/3 tasse)	**huile d'olive**

- Laver les tomates et les épépiner ; éplucher l'ail.
- Mettre les tomates et l'ail sur une plaque et les faire griller au four pendant 15 minutes.
- Sortir les tomates et l'ail du four puis laisser refroidir.
- Mettre tous les ingrédients dans un robot culinaire et faire turbiner jusqu'à ce que vous obteniez un mélange homogène.
- Passer la vinaigrette à l'étamine ; conserver au réfrigérateur.

VINAIGRETTE ORIENTALE

2	**œufs**
5 ml (1 c. à thé)	**wasabi**
15 ml (1 c. à soupe)	**huile de sésame rôti**
30 ml (2 c. à soupe)	**hoi sin**
15 ml (1 c. à soupe)	**gingembre**
5 ml (1 c. à thé)	**sambal oelek**
250 ml (1 tasse)	**huile d'arachide**
30 ml (2 c. à soupe)	**jus d'orange**
30 ml (2 c. à soupe)	**vinaigre de riz**
quantité suffisante	**sel et poivre blanc**

- Dans un robot culinaire, mettre l'œuf, le wasabi, l'huile de sésame, le hoi sin, le gingembre et le sambal oelek.
- Faire turbiner en ajoutant progressivement l'huile, le jus d'orange et le vinaigre.
- Assaisonner de sel et de poivre.
  (Si la vinaigrette est trop consistante, ajoutez-y un peu d'eau.)

LES ACCOMPAGNEMENTS

Beurre de portabella ❧ Cake de maïs et jalapeños
Crêpeline de céleris et maïs ❧ Dumplings d'ignames aux feuilles de céleri
Farine d'épices ❧ Hommos de lentilles ❧ Pâte alimentaire
Pesto de tomates séchées et d'amandes ❧ Polenta au millet
Quesadillas de fromage de chèvre ❧ Spätzle
Tuiles de gruyère ❧ Tuiles de tubercules

BEURRE DE PORTABELLA

4	**portabella (gros)**
30 ml (2 c. à soupe)	**huile d'olive**
30 ml (2 c. à soupe)	**beurre**
30 ml (2 c. à soupe)	**sauce wasabi (voir recette)**
quantité suffisante	**sel et poivre noir**

- Émincer les portabella.
- Dans une poêle, faire chauffer l'huile d'olive et faire sauter les portabella pendant 3 minutes.
- Mettre les portabella dans un robot culinaire et les rendre en purée.
- Passer la purée au tamis.
- Laisser égoutter la purée de portabella pendant 3 heures afin d'y soutirer le maximum de jus.
- Mélanger la purée avec le beurre et la sauce wasabi.

CAKE DE MAÏS ET JALAPEÑO

Pour huit personnes :

15 ml (1 c. à soupe)	**sucre**
60 ml (4 c. à soupe)	**beurre**
5 ml (1 c. à thé)	**sel**
2.5 ml (1/2 c. à thé)	**poivre blanc**
1	**jalapeño**
1	**oeuf**
1	**blanc d'œuf**
125 ml (1/2 tasse)	**lait**
60 ml (4 c. à soupe)	**farine de maïs**
125 ml (1/2 tasse)	**farine**
5 ml (1 c. à thé)	**poudre à pâte**
5 ml (1 c. à thé)	**coriandre moulue**

- Dans un cul-de-poule, blanchir le sucre et le beurre à l'aide d'un fouet.
- Ajouter le sel, le poivre et le jalapeño haché.
- Incorporer les œufs et le lait tiède.
- Ajouter à cet appareil les farines, la poudre à pâte et la coriandre.
- Bien mélanger à la spatule de bois.
- Chemiser un petit moule à pain d'un papier ciré et y verser l'appareil à cake.
- Faire cuire au four à 200°C (400°F) pendant 25 minutes.
- À la sortie du four, retirer le cake de son moule et le laisser refroidir sur une grille.

CRÊPELINE DE CÉLERI ET MAÏS

3	**œufs**
90 ml (6 c. à soupe)	**farine**
30 ml (2 c. à soupe)	**beurre**
250 ml (1 tasse)	**lait**
125 ml (1/2 tasse)	**maïs en grains**
125 ml (1/2 tasse)	**feuilles de céleri**
quantité suffisante	**huile d'olive**
quantité suffisante	**sel et poivre noir**

- Faire turbiner dans un robot culinaire les œufs, la farine, le beurre, le lait, le sel et le poivre.
- Retirer l'appareil à crêpe du robot culinaire et y ajouter les grains de maïs ainsi que les feuilles de céleri.
- Assaisonner au besoin.
- Faire chauffer un peu d'huile d'olive dans une poêle antiadhésive puis y verser une portion de l'appareil à crêpe.
- La retourner après une légère coloration.

DUMPLINGS D'IGNAMES

AUX FEUILLES DE CÉLERI

3	**ignames**
15 ml (1 c. à soupe)	**beurre**
125 ml (1/2 tasse)	**feuilles de céleri**
45 ml (3 c. à soupe)	**graines de cumin**
12	**feuilles de froment (grande)**
1	**blanc d'œuf**
quantité suffisante	**sel et poivre noir**

- Éplucher les ignames et les faire cuire à l'eau légèrement salée.
- Passer les ignames au passe-légumes puis ajouter le beurre, les feuilles de céleri et les graines de cumin.
- Laisser refroidir la purée (assaisonner au besoin).
- Étaler sur une table 6 feuilles de froment et y déposer en leur centre la purée d'ignames.
- Plier la partie inférieure de la feuille par-dessus la purée ; badigeonner légèrement les rebords gauche et droit de blanc d'œuf.
- Plier ces rebords vers l'intérieur afin de former un cylindre.
- Recommencer cette opération pour avoir 2 feuilles autour du dumpling (il sera plus croustillant).
- Faire cuire les dumplings à la friteuse à 200°C (400°F) pendant 3 minutes.

FARINE D'ÉPICES

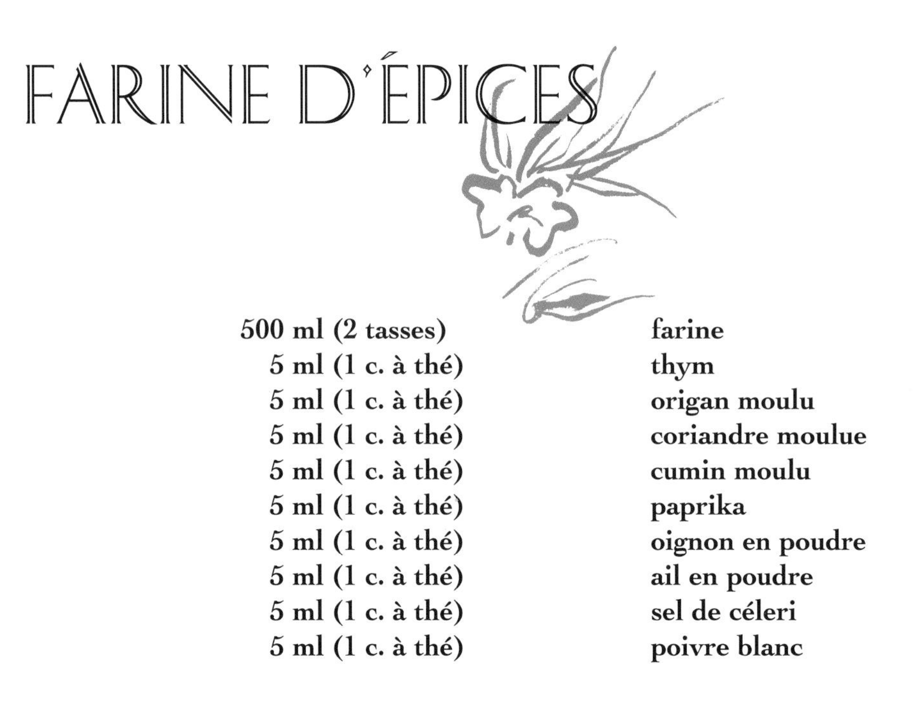

500 ml (2 tasses)	**farine**
5 ml (1 c. à thé)	**thym**
5 ml (1 c. à thé)	**origan moulu**
5 ml (1 c. à thé)	**coriandre moulue**
5 ml (1 c. à thé)	**cumin moulu**
5 ml (1 c. à thé)	**paprika**
5 ml (1 c. à thé)	**oignon en poudre**
5 ml (1 c. à thé)	**ail en poudre**
5 ml (1 c. à thé)	**sel de céleri**
5 ml (1 c. à thé)	**poivre blanc**

Mélanger le tout intimement et conserver dans une boîte hermétique.

HOMMOS DE LENTILLES

250 ml (1 tasse)	**lentilles du Puy**
60 ml (4 c. à soupe)	**pâte de graines de sésame (tahini)**
5 ml (1 c. à thé)	**ail haché**
1	**citron**
quantité suffisante	**sel et poivre blanc**

- Faire cuire les lentilles à l'eau avec le sel et le poivre blanc pendant 40 minutes.
- Égoutter les lentilles et garder le jus de cuisson.
- Mettre les lentilles dans un robot culinaire avec l'huile de sésame, l'ail et le jus d'un citron ; assaisonner le tout de sel et de poivre.
- Faire turbiner jusqu'à la formation d'une pâte ou pendant 4 minutes environ. (Si l'hommos est trop sec, ajoutez-y un peu de jus de cuisson.)
- Passer l'hommos à l'aide d'un tamis pour qu'il soit très lisse.
- Conserver au réfrigérateur.

PÂTE ALIMENTAIRE

3	**œufs entiers**
5 ml (1 c. à thé)	**sel de céleri**
250 ml (1 tasse)	**farine**

- Mettre les œufs dans un robot culinaire avec le sel de céleri, faire turbiner pendant 30 secondes.
- Ajouter la farine pour en former une pâte.
- Enlever la pâte du robot et continuer de la mélanger à la main (il faut que la pâte soit lisse).
- Former une boule et l'emballer dans un pellicule plastique.
- La conserver au réfrigérateur pendant 60 minutes avant de la travailler.
- Utiliser un laminoir pour faire des feuilles de lasagne ou d'autres formes de pâte.

PESTO DE TOMATES SÉCHÉES
ET D'AMANDES

1	botte de basilic
250 ml (1 tasse)	tomates séchées à l'huile d'olive
125 ml (1/2 tasse)	amandes entières
12	gousses d'ail
10 ml (2 c. à thé)	sel de céleri
5 ml (1 c. à thé)	poivre blanc

- Laver et équeuter les feuilles de basilic.
- Mettre dans un robot culinaire les feuilles de basilic, les tomates séchées à l'huile d'olive, les amandes entières, l'ail épluché, le sel et le poivre.
- Faire turbiner le tout pendant 3 minutes.
- Garder au frais dans un bocal à couvercle.

POLENTA AU MILLET

250 ml (1 tasse)	**millet**
750 ml (3 tasses)	**bouillon de volaille (voir recette)**
5 ml (1 c. à thé)	**cumin en poudre**
15 ml (1 c. à soupe)	**beurre**
60 ml (4 c. à soupe)	**parmesan**
quantité suffisante	**sel et poivre noir**

- Faire tremper le millet dans l'eau froide et le rincer plusieurs fois puis l'égoutter.
- Faire bouillir le fond de volaille puis y ajouter le millet, le sel, le poivre et le cumin en poudre.
- Laisser cuire pendant 30 minutes environ ou jusqu'à l'absorption complète du bouillon; mélanger de temps en temps avec une cuillère en bois.
- Ajouter le beurre et le parmesan.
- Laisser cuire encore pendant quelques instants tout en mélangeant continuellement avec une cuillère en bois.
- Verser ensuite la polenta sur une plaque de métal.
- Bien aplatir la polenta avec une spatule en lui laissant une certaine épaisseur pour pouvoir en faire des galettes.
- Laisser refroidir la polenta puis y couper des cercles à l'aide d'un emporte-pièce.

Cette polenta est différente mais aussi bonne que la traditionnelle voire meilleure.
On la sert avec le saumon Southwest ou d'autres poissons ou encore avec des plats de viande.

QUESADILLAS DE FROMAGE DE CHÈVRE

125 ml (1/2 tasse)	**fromage de chèvre**
60 ml (4 c. à soupe)	**lait**
8	**galettes de tortillas fraîches**
5 ml (1 c. à thé)	**épices cajun**

- Mettre au robot culinaire le fromage de chèvre et le lait; faire turbiner jusqu'à l'obtention d'une crème.
- Tartiner 4 tortillas de fromage.
- Les saupoudrer d'épices cajun et les recouvrir des 4 autres tortillas (bien les presser afin d'avoir des galettes).
- Couper chaque quesadilla en 4 comme des pointes de gâteau.
- Faire griller de chaque côté les quesadillas pendant 2 minutes et servir chaud.

SPÄTZLE

3	**œufs**
30 ml (2 c. à soupe)	**huile d'olive**
5 ml (1 c. à thé)	**sel de céleri**
60 ml (4 c. à soupe)	**lait**
500 ml (2 tasses)	**farine**

- Dans un robot culinaire, mettre les œufs, l'huile, le sel de céleri et le lait.
- Faire turbiner pendant 1 minute en y ajoutant progressivement la farine. (L'appareil sera collant; on décollera cet appareil en s'appliquant un peu de farine sur les mains.)
- Faire bouillir de l'eau salée et faire cuire les spätzle dans cette eau pendant 1 minute.
- Les rafraîchir à l'eau froide puis les égoutter. (On les conservera en les mélangeant à un peu d'huile.)

Pour former des spätzle, il y a différentes façons, soit, en pressant l'appareil dans vos mains en laissant une légère ouverture des doigts pour que l'appareil s'en écoule, soit en se munissant d'un appareil à spätzle qui ressemble à un presse-pomme de terre ce qui vous donnera des tortillons de pâtes. Enlever de petites parties à la main et les faire cuire ainsi.

TUILES DE GRUYÈRE

250 ml (1 tasse)	**gruyère râpé**
quantité suffisante	**noix de muscade**

- Déposer une feuille de papier ciré sur une plaque allant au four.
- Déposer 8 dômes de fromage sur la feuille de papier ciré.
- Assaisonner ceux-ci de noix de muscade.
- Les faire cuire à 180°C (350°F) pendant 8 minutes.
  (Il se peut qu'il faille laisser les disques de fromage quelques minutes de plus selon la teneur en matière grasse du fromage).
- Retirer les disques de fromage et les déposer sur un rouleau à pâtisserie pour leur donner la forme d'une tuile.

TUILES DE TUBERCULES

Pour huit personnes :

250 ml (1 tasse)	**pommes de terre (Idaho)**
45 ml (3 c. à soupe)	**beurre tempéré**
2	**blancs d'œufs**
2.5 ml (1/2 c. à thé)	**curcuma**
15 ml (1 c. à soupe)	**ciboulette hachée**
quantité suffisante	**sel et poivre blanc**

- Éplucher et faire cuire les pommes de terre à l'eau légèrement salée pendant 25 minutes.
- Passer ensuite au presse-purée et y ajouter le beurre, les blancs d'œufs, le curcuma et la ciboulette.
- Mélanger intimement à la spatule.
- (Pour donner une forme aux tuiles, prendre un carton ou un couvercle de plastique et découper une forme qui ressemblera à une feuille de laurier mais 2 fois plus grande.)
- Sur une plaque bien beurrée, disposer le pochoir et le remplir d'appareil à tuiles à l'aide d'une spatule de pâtisserie; répéter cette opération plusieurs fois afin de remplir la plaque de feuilles.
- Faire cuire au four à 180°C (350°F) pendant 9 minutes environ.

Les tuiles doivent être légèrement colorées.
Il est préférable d'utiliser un silpad pour la cuisson. (On peut s'en procurer un dans un magasin spécialisé en accessoires de pâtisserie).
On peut aussi utiliser une feuille de papier ciré.

LES SOUPES ET POTAGES

Ceviche non acidulé d'huîtres, sashimi de thon au wasabi et à la coriandre
Crème d'ignames et de grains de maïs, rouelles de bocconcini
Crème d'oignons et de haricots noirs caramélisés au porto
Crème de carottes parfumée au gingembre et à la citronnelle
Rafraîchissante soupe de flétan, crevettes et poulpes
Cristal de homard aux homards et pistils de safran
Gaspacho d'avocats aux amandes et quelques huîtres
Nage de filets de truites au yogourt parfumé de basilic thaï et sa tuile de cheddar
Petite nage de filets de truites au jus de carotte et à la cannelle

CEVICHE
NON ACIDULÉ D'HUÎTRES,
SASHIMI DE THON
AU WASABI ET À LA CORIANDRE

Pour six personnes :

3 douzaines	**huîtres**
60 ml (4 c. à soupe)	**oignons rouges**
2	**gousses d'ail**
60 ml (4 c. à soupe)	**tomates**
60 ml (4 c. à soupe)	**coriandre**
60 ml (4 c. à soupe)	**huile d'olive**
60 ml (4 c. à soupe)	**fumet océane (voir recette)**
5 ml (1 c. à thé)	**wasabi**
200 g (7 oz)	**thon frais**
5 ml (1 c. à thé)	**huile de tournesol**
quantité suffisante	**poivre noir en grains**
quantité suffisante	**sel et poivre blanc**

- Ouvrir et enlever les huîtres de leur coquille ; garder le jus et le filtrer.
- Mettre les huîtres en réserve au froid.
- Éplucher et hacher les oignons et l'ail.
- Émonder les tomates et les émincer finement.
- Laver et hacher la coriandre.
- Dans un bol, mélanger la coriandre, l'ail, les tomates, les oignons rouges, l'huile d'olive, le fumet océane, le wasabi et le jus d'huître.

- Assaisonner délicatement de sel et poivre blanc
(faites attention, le jus d'huître est salé !).
- Ajouter les huîtres à la préparation et garder au frais pendant 2 heures.
- Couper le thon en 6 médaillons égaux.
- Dans une assiette, mettre le poivre noir en grains et y déposer les médaillons de thon
(le poivre ne doit recouvrir qu'une seule surface du thon).
- Au moment de servir, verser le ceviche dans 6 assiettes creuses préalablement
refroidies.
- Dans une poêle, faire chauffer l'huile de tournesol
(elle doit fumer donc être très chaude).
- Poêler les médaillons de thon seulement du côté du poivre pendant 1 minute.
- Déposer les médaillons de thon au centre de chaque assiette et servir.
- Garder un peu de brins de coriandre pour la garniture.
(On peut remplacer le thon par d'autres poissons exotiques.)

*Le wasabi porte aussi le nom de « namida » (larmes) parce que
ce raifort est suffisamment piquant pour faire pleurer.*

CRÈME D'IGNAMES
ET DE GRAINS DE MAÏS, ROUELLES DE BOCCONCINI

Pour huit personnes :

450 g (1 lb)	**ignames**
4	**gousses d'ail**
15 ml (1 c. à soupe)	**beurre**
1 l (4 tasses)	**bouillon de volaille**
250 ml (1 tasse)	**grains de maïs**
1	**piment jalapeño**
1	**botte de coriandre**
125 ml (1/2 tasse)	**crème 35 %**
8	**bocconcini**
quantité suffisante	**sel et poivre blanc**

- Éplucher les ignames et l'ail (une fois les ignames épluchées, il en restera 300 g (10 oz)).
- Émincer les ignames et l'ail; faire suer au beurre pendant quelques minutes.
- Ajouter le bouillon de volaille, les grains de maïs et le piment jalapeño.
- Assaisonner au goût.
- Amener à faible ébullition et laisser cuire pendant 40 minutes.
- Laver et hacher la botte de coriandre.
- Faire turbiner la crème d'ignames au robot culinaire; y ajouter la coriandre puis la passer au chinois.

- Remettre la crème d'ignames à chauffer et y ajouter la crème 35 %.
- Rectifier l'assaisonnement au besoin.
- Couper les bocconcini avec un coupe-œufs (cela vous facilitera la tâche et, ainsi, vous aurez de belles rouelles régulières).
- Déposer chaque bocconcini en rouelles dans le fond des assiettes et napper de crème d'ignames.
- Garder quelques brins de coriandre pour en garnir la crème.

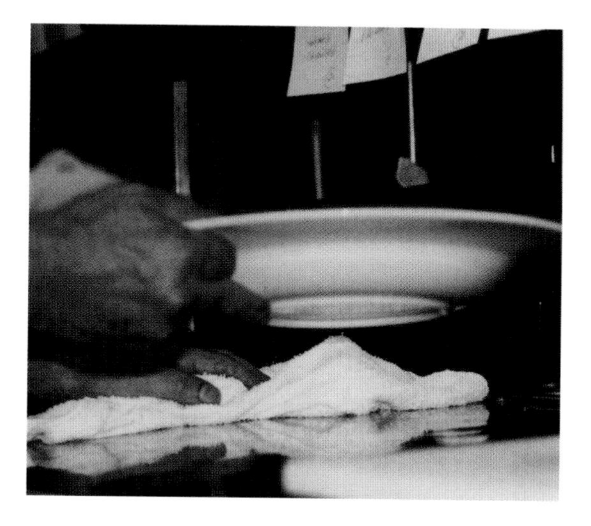

CRÈME D'OIGNONS
ET DE HARICOTS NOIRS CARAMÉLISÉS AU PORTO

Pour six personnes :

250 ml (1 tasse)	**haricots noirs**
1 l (4 tasses)	**oignons**
30 ml (2 c. à soupe)	**beurre**
30 ml (2 c. à soupe)	**huile d'olive**
60 ml (4 c. à soupe)	**cassonade**
60 ml (4 c. à soupe)	**vinaigre de vin rouge**
250 ml (1 tasse)	**porto**
2 l (8 tasses)	**bouillon de volaille (voir recette)**
8	**feuilles de laurier**
125 ml (1/2 tasse)	**crème 35 %**
quantité suffisante	**sel et poivre blanc**

- Recouvrir généreusement d'eau les haricots noirs et les laisser tremper pendant 24 heures.
- Le lendemain, éplucher et émincer les oignons.
- Dans un chaudron, faire fondre le beurre et l'huile et y faire suer les oignons jusqu'à une coloration caramel ; assaisonner.
- Ajouter la cassonade.
- Déglacer avec le vinaigre de vin et laisser bouillonner jusqu'à l'évaporation de celui-ci.
- Ajouter le porto et faire réduire de moitié.

- Rincer les haricots à l'eau froide et les mettre dans le chaudron.
- Y verser le bouillon de volaille et y ajouter les feuilles de laurier puis laisser mijoter à couvert très doucement pendant 2 heures.
- Après la cuisson, passer l'appareil au passe-légumes.
- Réchauffer doucement l'appareil et y ajouter la crème 35 %.
- Rectifier l'assaisonnement au besoin.
- Servir chaud avec une garniture de rondelles d'oignons sautées au beurre ou encore avec un peu de crème 35 % fouettée et dressée en quenelles.

CRÈME DE CAROTTES
PARFUMÉE AU GINGEMBRE ET À LA CITRONNELLE

Pour six personnes :

450 g (1 lb)	**carottes**
125 ml (1/2 tasse)	**gingembre frais**
30 ml (2 c. à soupe)	**beurre**
750 ml (3 tasses)	**bouillon de volaille (voir recette)**
125 ml (1/2 tasse)	**crème 35 %**
2	**gousses d'ail**
1	**oignon**
4	**branches de citronnelle**
quantité suffisante	**sel et poivre blanc**

- Éplucher et émincer les carottes, le gingembre, l'oignon et l'ail.
- Dans un chaudron, faire chauffer le beurre puis faire suer les légumes pendant 4 minutes.
- Ajouter le bouillon de volaille, le sel et le poivre.
- Émincer finement les branches de citronnelle et les incorporer à la future crème.
- Laisser mijoter pendant 30 minutes puis faire turbiner au robot culinaire.
- « Chinoiser » cet appareil et garder au chaud.
- Ajouter la crème 35 % et rectifier l'assaisonnement.

Ce potage peut aussi être servi rafraîchi en y ajoutant quelques pétoncles crus ou encore quelques huîtres.

GASPACHO D'AVOCATS
AUX AMANDES ET QUELQUES HUÎTRES

Pour six personnes :

3	**avocats**
2	**gousses d'ail**
125 ml (1/2 tasse)	**amandes blanches**
45 ml (3 c. à soupe)	**vinaigre de xérès**
60 ml (4 c. à soupe)	**huile d'olive**
125 ml (1/2 tasse)	**bouillon de volaille (voir recette)**
3 dz	**huîtres**
quantité suffisante	**sel et poivre blanc**

- Éplucher les avocats et l'ail.
- Mettre dans le robot culinaire les avocats, l'ail, les amandes et le vinaigre de xérès.
- Former une pâte en y ajoutant progressivement l'huile d'olive.
- Y verser le bouillon de volaille légèrement tiède.
- Goûter et rectifier l'assaisonnement.
- Passer le gaspacho au tamis pour filtrer les brisures d'amandes (le gaspacho sera plus lisse).
- Garder le gaspacho au réfrigérateur.
- Au moment du service, verser le gaspacho dans des assiettes creuses ou dans des bols.
- Ouvrir les huîtres et les déposer sur le gaspacho ou encore les incorporer à celui-ci.
- Garnir d'une julienne de poivrons rouges ou d'une salsa de poivrons rouges, tomates séchées et câpres (voir recette).

CRISTAL DE HOMARD

AUX HOMARDS ET PISTILS DE SAFRAN

Pour huit personnes :

2	**homards de 450 g (1 lb) chacun**
3 l (12 tasses)	**fumet de poisson (voir recette)**
4	**gousses d'ail**
2	**oignons**
4	**branches de céleri**
4	**carottes**
2	**poireaux**
4	**tomates**
4	**blancs d'oeufs**
60 ml (4 c. à soupe)	**estragon**
5 ml (1 c. à thé)	**safran**
quantité suffisante	**sel et poivre blanc**

- Faire bouillir le fumet de poisson et y plonger les homards pendant 8 minutes.
- Retirer les homards et les laisser refroidir.
- Éplucher les carottes, l'ail et les oignons; laver les autres légumes.
- Émincer le reste des légumes et les ajouter au fumet de poisson. (Réserver un poireau, une carotte et une branche de céleri.)
- Ajouter l'estragon et le safran au fumet et laisser mijoter le tout très doucement.
- Pendant ce temps, décortiquer les homards et garder la chair pour la garniture du cristal.

- Ajouter les carcasses de homards au fumet et laisser encore mijoter pendant 60 minutes.
- Couper le poireau, la carotte et le céleri en mirepoix et les mélanger avec les 4 blancs d'œufs (ceux-ci vont servir à la clarification du cristal).
- Verser doucement le mélange dans le fumet puis faire mijoter pendant 20 minutes de plus (le fumet deviendra clair comme du cristal).
- Filtrer ensuite le cristal à l'étamine. (Cette opération doit se faire délicatement afin de ne pas mélanger le cristal avec le reste de la préparation qui se trouve au fond.)
- Mettre la chair de homard dans les bols et y verser le cristal.

NAGE DE FILETS DE TRUITE

AU YOGOURT PARFUMÉ DE BASILIC THAÏ ET SA TUILE DE CHEDDAR

Pour quatre personnes :

1	oignon
1	pomme de terre moyenne
15 ml (1 c. à soupe)	beurre doux
500 ml (2 tasses)	lait 3,25 %
5 ml (1 c. à thé)	cari rouge
5 ml (1 c. à thé)	nuoc mam
4	filets de truite de 90 g (3 oz) chacun
90 g (3 oz)	cheddar râpé
1	laitue boston
12	feuilles de basilic thaï
125 ml (1/2 tasse)	yogourt 1 %
quantité suffisante	sel et poivre blanc

- Éplucher l'oignon et la pomme de terre; les couper en mirepoix et les faire suer au beurre pendant 3 minutes.
- Ajouter le lait, le cari rouge et le nuoc mam.
- Couvrir et faire cuire à feu moyen durant 25 minutes.
- Rectifier au besoin l'assaisonnement de la nage.
- Pendant ce temps, escaloper les filets de truite et les disposer dans 4 assiettes.
- Sur une plaque recouverte d'un papier ciré, y étaler 4 cercles de fromage cheddar et faire cuire au four à 200°C (400°F) pendant 6 minutes. (Les tuiles de fromage doivent être entièrement fondues et colorées. Elles doivent ressembler à de fines galettes.)
- Les retirer du four et les déposer sur un papier absorbant jusqu'à leur utilisation.
- Dans la nage, ajouter la laitue boston lavée et ciselée, le basilic ainsi que le yogourt.
- Faire chauffer pendant quelques instants et verser la nage sur les filets de truite qui, sous l'effet de la chaleur, cuiront instantanément.
- Garnir chaque assiette de la tuile de cheddar.

PETITE NAGE DE FILETS DE TRUITES

AU JUS DE CAROTTE ET À LA CANNELLE

Pour six personnes :

500 ml (2 tasses)	**jus de carotte**
1	**jus de citron**
1	**bâton de cannelle**
6	**filets de truites**
60 ml (4 c. à soupe)	**beurre doux**
30 ml (2 c. à soupe)	**huile d'olive**
quantité suffisante	**sel et poivre blanc**

- Éplucher les carottes et les passer à l'extracteur à jus.
- Mettre dans une casserole le jus de carotte, le jus de citron, le bâton de cannelle et assaisonner de sel et de poivre.
- Faire chauffer ce mélange de jus tranquillement sans porter à ébullition.
- Durant ce temps, trancher en trois parties égales chaque filet de truite.
- Assaisonner de sel et de poivre.
- Dans une poêle, faire chauffer l'huile d'olive et faire cuire de chaque côté les truites pendant 1 minute.
- Mettre les filets de truites dans des assiettes creuses.
- Quand le jus sera brûlant, y ajouter progressivement le beurre.
- Napper les filets de truites du jus de carotte et servir.

(On peut garnir cette soupe de quelques grains de poivre noir ou d'un petit bâton de cannelle.)
Cette soupe est très goûteuse et rafraîchissante.

RAFRAÎCHISSANTE SOUPE

DE FLÉTAN, CREVETTES ET POULPES

Pour huit personnes :

180 g (6 oz)	**poulpes marinés**
16	**crevettes (grosses)**
200 ml (3/4 tasse)	**huile d'olive**
1	**filet de flétan frais de 280 g (9 oz)**
8	**tomates**
10	**jus de lime**
5 ml (1 c. à thé)	**sambal oelek**
15 ml (1 c. à soupe)	**graines de fenouil**
90 g (3 oz)	**fromage feta**
1/2	**botte de persil**
1	**botte de basilic thaï**
1	**oignon rouge**
2	**gousses d'ail**
quantité suffisante	**sel et poivre blanc**

- Émincer les poulpes et enlever la carapace des crevettes.
- Faire chauffer 1/4 de tasse d'huile d'olive puis faire sauter les poulpes et les crevettes ; assaisonner légèrement de sel et de poivre (les crevettes ne doivent pas être trop cuites).
- Refroidir les crevettes et les poulpes au réfrigérateur.
- Émincer le filet de flétan et le réserver.
- Émonder les tomates et les émincer puis les réserver.
- Presser le jus des limes ; y ajouter le sambal oelek, les graines de fenouil et le fromage feta égrené.
- Laver et émincer le persil ainsi que le basilic thaï.
- Émincer l'oignon rouge.
- Mettre tous les ingrédients dans un saladier ; presser l'ail et y ajouter l'huile d'olive ; mélanger intimement.
- Assaisonner à votre convenance.

LES ENTRÉES FROIDES

Aiguillettes de filet de maquereau fumé, quesadillas, mini-salades et hommos de lentilles
Crêpeline de céleris et maïs à l'anguille fumée
Cressonnière de crevettes marinées et sa quesadilla de fromage de chèvre
Escabèche de filet de mérou et ris d'agneau ❦ Jambon d'oie
Mosaïque de légumes et lapereau surpris au potager
Pastilla de saumon mariné, salsa de poivrons et poires au cari rouge
Rillettes de canard comme chez nous
Salade de fenouil au basilic et prosciutto
Salade gourmande de saumon et fonds d'artichauts
Salade liégeoise comme à Liège ❦ Saumon mariné à l'orientale
Tartare de filets d'agneau, huile de truffe blanche, toast de cramique
Terrine de ris de veau aux champignons et échalotes

AIGUILLETTES DE FILET DE MAQUEREAU FUMÉ,

QUESADILLAS, MINI-SALADES ET HOMMOS DE LENTILLES

Pour quatre personnes :

2	**filets de maquereau fumé**
2	**quesadillas (voir recette)**
60 ml (4 c. à soupe)	**vinaigrette de tomates et d'ail grillés (voir recette)**
250 ml (1 tasse)	**hommos de lentilles (voir recette)**
500 ml (2 tasses)	**mini-salades**
60 ml (4 c. à soupe)	**huile de coriandre (voir recette)**

- Couper chaque filet de maquereau en 4.
- Couper les quesadillas de fromage de chèvre en 6 pointes et les faire griller.
- Décorer chaque assiette d'une c. à soupe de vinaigrette de tomates et d'ail grillés.
- Déposer au centre de l'assiette une quesadilla et mettre 1 c. à soupe d'hommos de lentilles sur la quesadilla puis déposer 1 morceau de filet de maquereau ; répéter cette opération.
- Terminer le montage par une quesadilla.
- Garnir l'assiette de mini-salades.
- Napper la salade d'une c. à soupe d'huile de coriandre.

On peut remplacer le maquereau par de l'esturgeon ou du thon fumé.

CRÊPELINE DE CÉLERI ET MAÏS

À L'ANGUILLE FUMÉE

Pour quatre personnes :

4	**crêpes de céleri et maïs (voir recette)**
300 g (10 oz)	**anguille fumée**
2 l (8 tasses)	**mesclun**
250 ml (1 tasse)	**vinaigrette de tomates et d'ail grillés (voir recette)**

- Faire 4 crêpes.
- Tailler l'anguille fumée en julienne et la mettre au centre de chaque crêpe.
- Rouler celles-ci en forme de cylindre.
- Couper les crêpes en 3 parties et les mettre au four à 150°C (300°F) pendant 4 minutes.
- Déposer au centre de chaque assiette le mesclun nappé d'une cuillère à soupe de vinaigrette.
- Sortir les crêpes du four et les déposer sur le mesclun.
- Ajouter de la vinaigrette sur les crêpes et servir aussitôt.

On peut remplacer le mesclun par des légumes grillés. On peut aussi accompagner les crêpes d'hommos de lentilles ou encore d'une salsa de champignons forestiers (voir recettes).

CRESSONNIÈRE DE CREVETTES MARINÉES
ET SA QUESADILLA DE FROMAGE DE CHÈVRE

Pour quatre personnes :

24	crevettes
1	oignon rouge
1	poivron rouge
1	poivron jaune
2	tomates
?	jalapeño
1	botte de coriandre
3	limes
1	citron
80 ml (1/3 tasse)	huile d'olive
250 ml (1 tasse)	lait de coco non sucré
2	quesadilla de fromage (voir recette)
quantité suffisante	sel et poivre blanc

- Décortiquer et déveiner les crevettes crues.
- Éplucher l'oignon et l'émincer avec tous les autres légumes.
- Laver et hacher la coriandre puis la réserver.
- Presser les limes et le citron.
- Dans une sauteuse, faire chauffer 4 c. à soupe d'huile d'olive et faire sauter très légèrement les crevettes assaisonnées de sel et de poivre.
- Retirer les crevettes de la sauteuse et les napper du jus des agrumes.
- Reprendre la sauteuse et faire chauffer le reste de l'huile puis faire sauter tous les légumes.
- Laisser cuire pendant 4 minutes ; ajouter le lait de coco et assaisonner selon votre goût.
- Verser la sauce sur les crevettes puis ajouter la coriandre hachée.
- Mélanger intimement puis laisser mariner au réfrigérateur pendant 24 heures.
- Avant de servir, garnir de mini-cresson et d'une quesadilla de fromage de chèvre (voir recette).

ESCABÈCHE DE FILET DE MÉROU

ET RIS D'AGNEAU

Pour quatre personnes :

200 g (7 oz)	**ris d'agneau**
1 l (4 tasses)	**bouillon de volaille (voir recette)**
200 g (7 oz)	**filet de mérou**
2	**poireaux**
1	**tomate**
125 ml (1/2 tasse)	**basilic italien**
15 ml (1 c. à soupe)	**graines de cumin**
quantité suffisante	**sel et poivre blanc**

- Faire dégorger les ris d'agneau à l'eau froide pendant 12 heures.
- Faire pocher les ris d'agneau dans le bouillon de volaille pendant 8 minutes.
- Émincer le filet de mérou en fines tranches, les assaisonner de sel et poivre.
- Couper les poireaux en lanières et les laver à grande eau.
- Émonder la tomate et l'émincer en julienne.
- Dans un plat, déposer les poireaux, la julienne de tomate, le basilic ciselé et les graines de cumin.
- Déposer par-dessus les tranches de mérou et les ris d'agneau.
- Filtrer le bouillon de volaille et le verser sur les condiments.
- Laisser mariner au réfrigérateur pendant toute une journée.
- Servir le lendemain à la température de la pièce.

On peut également préparer cette entrée comme soupe chaude en remplaçant simplement les ris d'agneau par des pétoncles.

JAMBON D'OIE

Pour six personnes :

1	**lombe d'oie***
5 ml (1 c. à thé)	**coriandre en grains**
2	**feuilles de laurier**
15 ml (1 c. à soupe)	**poivre noir en grains**
5 ml (1 c. à thé)	**thym**
5 ml (1 c. à thé)	**cumin en grains**
30 ml (2 c. à soupe)	**gros sel**

- Enlever un peu de gras de la lombe d'oie*.
- Dans un mortier, broyer la coriandre, le laurier, le poivre, le thym et le cumin.
- Ajouter le gros sel au mélange sans le broyer.
- Saupoudrer ces épices de chaque coté de la lombe.
- Laisser reposer la lombe avec toutes les épices au réfrigérateur pendant 24 heures.
- Le lendemain, emballer la lombe dans un coton à fromage et la suspendre à l'air libre pendant 14 jours.
- Après cette longue attente, enlever le coton à fromage et gratter légèrement la surface de la lombe pour enlever l'excédent d'épices.
- Trancher en fines lamelles pour la dégustation.

* *La lombe est la poitrine de l'oie.*
Le jambon d'oie peut être servi avec une salade, des canapés ou en julienne très fine pour agrémenter une sauce. On peut aussi le servir avec des pâtes alimentaires.

MOSAÏQUE DE LÉGUMES

ET LAPEREAU SURPRIS AU POTAGER

Pour dix personnes :

125 ml (1/2 tasse)	**carottes**
125 ml (1/2 tasse)	**navet**
60 ml (4 c. à soupe)	**choux de Bruxelles**
125 ml (1/2 tasse)	**haricots verts**
600 g (1 lb 5 oz)	**lapereau**
3	**œufs**
80 ml (1/3 tasse)	**Madère**
80 ml (1/3 tasse)	**poudre de lait**
60 ml (4 c. à soupe)	**pois verts**
60 ml (4 c. à soupe)	**beurre**
quantité suffisante	**sel et poivre blanc**

- Couper en mirepoix les carottes, le navet, les choux de Bruxelles et les haricots verts.
- Les blanchir séparément dans l'eau salée et les refroidir aussitôt (il faut que les légumes restent croquants).
- Conserver les légumes au réfrigérateur après la cuisson.
- Désosser le lapereau en essayant de recueillir le plus de chair possible.
- Passer la chair du lapereau au robot culinaire avec les 3 œufs, le Madère, le sel et le poivre.
- Passer ensuite la chair au tamis pour enlever tous les nerfs et le gras du lapereau.
- Mettre la chair dans un cul-de-poule puis ajouter les légumes froids et la poudre de lait; bien mélanger cet appareil.
- Prendre une terrine en pyrex ou en fonte et badigeonner les rebords avec le beurre; mettre l'appareil dans cette terrine et faire cuire au bain-marie au four à 150°C (300°F) pendant 120 minutes.
- Après la cuisson, laisser refroidir puis conserver la terrine au réfrigérateur.

PASTILLA DE SAUMON MARINÉ,

SALSA DE POIVRONS ET POIRES AU CARI ROUGE

Pour quatre personnes :

6	**feuilles de froment (spring roll)**
30 ml (2 c. à soupe)	**farine d'épices (voir recette)**
200 g (7 oz)	**saumon mariné à l'orientale (voir recette)**
1	**bouquet de coriandre**
250 ml (1 tasse)	**salsa de poivrons et poires au cari rouge (voir recette)**

- Couper les feuilles de froment en losanges et les saupoudrer de farine d'épices.
- Déposer les feuilles de froment sur une plaque et les faire cuire au four à 200°C (400°F) pendant 3 minutes (les feuilles de froment doivent être colorées[pastilla]).
- Escaloper le plus finement possible le saumon en 12 belles tranches.
- Laver et bien rincer le bouquet de coriandre.
- Pour le montage, déposer au centre de l'assiette une pastilla, ajouter une tranche de saumon et quelques feuilles de coriandre.
- Répéter cette opération 2 autres fois en terminant par une pastilla.
- Ajouter la salsa de poivrons et poires au cari rouge sur les côtés de la pastilla.

On peut remplacer les pastillas par des quesadillas au fromage de chèvre.

RILLETTES DE CANARD
COMME CHEZ NOUS

Pour six personnes :

30 ml (2 c. à soupe)	**coriandre en grains**
90 ml (6 c. à soupe)	**gros sel**
15 ml (1 c. à soupe)	**thym**
10 ml (2 c. à thé)	**ail en poudre**
6	**cuisses de canard**
1.6 kg (4 lb)	**gras de canard**
120 g (4 oz)	**foie gras**

- Broyer la coriandre et l'ajouter au gros sel, au thym et à la poudre d'ail.
- Envelopper les cuisses de canard de cette préparation.
- Mettre les cuisses à mariner au réfrigérateur pendant 24 heures.
- Le lendemain, débarrasser les cuisses du surplus d'épices.
- Dans une casserole, faire fondre le gras de canard et faire pocher les cuisses pendant 1 h environ.
- Lorsque les cuisses sont complètement cuites, les retirer du gras et les égoutter sur une grille.
- Lorsqu'elles seront tièdes, enlever la chair qui servira pour la confection des rillettes.
- Dans une casserole, faire chauffer à feu doux le foie gras qui se transformera en gras liquide.
- Mettre la chair dans un cul-de-poule et la pétrir soigneusement en prenant soin d'y laisser des morceaux.

- Ajouter le gras du foie gras de canard à la chair avec 250 ml (1 tasse) de gras de cuisson. *(Il faut faire attention lorsqu'on ajoute le gras fondu du foie gras, cette graisse est très chaude.)*
- Mélanger intimement cet appareil et mouler ensuite dans un plat de présentation.
- Refroidir ensuite au réfrigérateur pendant 12 heures.
  (Il est préférable de mélanger les rillettes à toutes les 30 minutes pour que celles-ci soient bien homogènes.)

Sortir les rillettes du réfrigérateur 1 heure avant de les servir.
Les rillettes s'accompagnent de cramique ou encore de toasts.

SALADE DE FENOUIL

AU BASILIC ET PROSCIUTTO

Pour quatre personnes :

2	**bulbes de fenouil (petits)**
1	**poivron rouge**
4	**échalotes vertes**
4	**tomates séchées**
5	**tranches de prosciutto**
30 ml (2 c. à soupe)	**jus de lime**
15 ml (1 c. à soupe)	**pastis**
60 ml (4 c. à soupe)	**huile d'olive extra vierge**
12	**feuilles de basilic**
8	**feuilles de menthe**
quantité suffisante	**sel et poivre noir**

- Enlever les feuilles extérieures des bulbes de fenouil.
- Trancher les bulbes le plus finement possible à la mandoline et les assaisonner de sel et de poivre noir.
- Faire une julienne avec le poivron rouge, les échalotes vertes, les tomates séchées et le prosciutto.
- Mélanger le jus de lime, le pastis et l'huile d'olive.
- Ajouter les herbes ciselées.
- Mettre le tout dans un saladier et mélanger intimement; laisser mariner pendant 15 minutes avant de servir.

SALADE GOURMANDE
DE SAUMON ET FONDS D'ARTICHAUTS

Pour quatre personnes :

200 g (7 oz)	**filet de saumon**
15 ml (1 c. à soupe)	**huile de pépins de raisin**
450 g (1 lb)	**épinards**
1/2	**poireau**
1	**carotte**
125 ml (1/2 tasse)	**pignons de pin**
60 ml (4 c. à soupe)	**fromage feta**
60 ml (4 c. à soupe)	**câpres**
15 ml (1 c. à soupe)	**beurre doux**
8	**fonds d'artichauts**
125 ml (1/2 tasse)	**vinaigrette Chronique (voir recette)**
quantité suffisante	**sel et poivre blanc**

- Trancher le filet de saumon en 8 escalopes.
- Prendre une plaque allant au four et la badigeonner d'huile de pépins de raisin ; y déposer les escalopes de saumon.
- Équeuter, laver et essorer les épinards.
- Faire une julienne avec la moitié du poireau et la carotte.
- Garnir chaque assiette de feuilles d'épinards ; ajouter les pignons de pin, le fromage feta émietté, la julienne de légumes et les câpres.
- Durant ce temps, dans une poêle, faire chauffer le beurre et faire sauter les fonds d'artichauts.
- Mettre la plaque de saumon au four à 200°C (400°F) pendant 4 minutes.
- Répartir également les fonds d'artichauts sur les feuilles d'épinards, napper de la vinaigrette Chronique ; ajouter les escalopes de saumon par-dessus cette salade.

Les épinards peuvent être remplacés par d'autres laitues de votre choix.

SALADE LIÉGEOISE

COMME À LIÈGE

Pour quatre personnes :

200 g (7 oz)	**haricots verts extra fins**
1	**laitue frisée**
2	**tomates**
250 ml (1 tasse)	**lardons**
30 ml (2 c. à soupe)	**huile d'arachide**
250 ml (1 tasse)	**croûtons**
4	**œufs**
60 ml (4 c. à soupe)	**vinaigre de vin**
60 ml (4 c. à soupe)	**échalotes françaises**
quantité suffisante	**sel et poivre blanc**

- Équeuter et laver les haricots verts.
- Faire blanchir les haricots à l'eau bouillante pendant 3 minutes puis les rafraîchir à l'eau froide ; réserver.
- Laver et essorer la laitue frisée.
- Émonder les tomates et les couper en deux.
- Dans une poêle, faire sauter les lardons sans matière grasse jusqu'à ce qu'ils soient croquants.
- Faire chauffer l'huile dans une poêle et faire sauter les croûtons jusqu'à ce qu'ils aient absorbé l'huile et qu'ils soient colorés.
- Faire cuire les œufs dans l'eau bouillante avec leur coquille pendant 7 minutes.
- Débarrasser les œufs de leur coquille après la cuisson.

- Déposer sur une plaque allant au four les haricots, les tomates coupées en 2, les œufs, les croûtons et les lardons.
- Mettre cette plaque au four à 200°C (400°F) pendant 4 minutes.
- Diviser la laitue frisée dans chaque assiette et ajouter les condiments chauds qui sont sur la plaque.
- Verser un peu de vinaigre de vin sur les salades, ajouter les échalotes, saler et poivrer.

Cette salade peut être servie comme entrée ou plat principal.
On peut l'accompagner d'une bavette de bœuf ou d'une poêlée de filets de morue.

SAUMON MARINÉ
À L'ORIENTALE

Pour dix personnes :

1,3 kg (3 lb)	**filets de saumon avec peau**
60 ml (4 c. à soupe)	**gingembre haché**
45 ml (3 c. à soupe)	**pâte de haricots noirs à l'ail**
2	**branches de citronnelle**
60 ml (4 c. à soupe)	**huile de sésame**
2	**bottes de coriandre fraîche**
60 ml (4 c. à soupe)	**gros sel**

- Faire lever les filets du saumon par votre poissonnier ou, si vous le faites vous-même, enlever l'arête centrale mais laisser la peau.
- Mettre le saumon sur une grille avec une plaque en dessous.
- Mettre dans un robot culinaire le gingembre, la pâte de haricots, les branches de citronnelle, l'huile de sésame et faire réduire en purée.
- Étendre cette pâte sur le saumon.
- Hacher finement la coriandre fraîche et en recouvrir la pâte qui se trouve sur le saumon.
- Saupoudrer ensuite de gros sel.
- Laisser mariner le filet de saumon au réfrigérateur pendant 48 heures.
- Quand vous serez prêt à le consommer, enlever et gratter la pâte qui le recouvre.

Couper en fines tranches et le déguster comme entrée en sandwich, en salade, en amuse-papilles ou selon votre imagination.

TARTARE DE FILETS D'AGNEAU,

HUILE DE TRUFFE BLANCHE, TOAST DE CRAMIQUE

Pour quatre personnes :

8	**filets d'agneau**
10ml (2 c. à thé)	**moutarde de Meaux**
10 ml(2 c. à thé)	**crème sure**
5 ml (1 c. à thé)	**épices cajun**
30 ml (2 c. à soupe)	**huile de truffe blanche**
2	**échalotes françaises**
8	**tranches de cramique (voir recette)**
quantité suffisante	**sel et poivre blanc**

- Dénerver les filets d'agneau et les couper en très petits cubes.
- Ajouter à la viande, la moutarde, la crème sure, les épices cajun, l'huile de truffe, le sel et le poivre.
- Mélanger intimement la viande et rectifier l'assaisonnement.
- Éplucher les échalotes françaises; les trancher en fines rondelles qui serviront à la décoration.
- Faire griller les tranches de cramique* au grille-pain ou sur une grille.
- Former des quenelles avec le tartare d'agneau; garnir celles-ci de rondelles d'échalotes et accompagner le tout des toasts de cramique.

* *Le cramique est une spécialité belge qui ressemble beaucoup au pain aux raisins.*

Le tartare d'agneau est une découverte pour tous ceux qui aiment les viandes crues; l'assaisonnement de cette recette est simple et neutre ce qui bonifiera le goût du tartare.

TERRINE DE RIS DE VEAU
AUX CHAMPIGNONS ET ÉCHALOTES

Pour huit personnes :

450 g (1 lb)	**ris de veau crus**
2	**blancs de volaille**
100 g (3 1/2 oz)	**veau**
100 g (3 1/2 oz)	**lard maigre**
100 g (3 1/2 oz)	**foies de volaille**
3	**œufs**
30 ml (2 c. à soupe)	**quatre épices**
60 ml (4 c. à soupe)	**cognac**
200 g (7 oz)	**champignons**
1	**bouquet d'échalotes**
45 ml (3 c. à soupe)	**poudre de lait**
15 ml (1 c. à soupe)	**farine**
200 ml (3/4 tasse)	**crème 35 %**
quantité suffisante	**sel et poivre blanc**

- Dénerver et faire dégorger les ris de veau puis les faire blanchir pendant10 minutes.
- Faire turbiner au robot culinaire les blancs de volaille, le veau, le lard maigre, les foies de volaille. les œufs, les épices et le cognac.
- Émincer les champignons et les faire blanchir dans 200 ml d'eau pendant 5 minutes.
- Égoutter les champignons et garder l'eau de cuisson qui servira à la confection de la terrine.

- Laver et ciseler les échalotes.
- Couper les ris de veau cuits en petits cubes et garder au réfrigérateur.
- Mettre dans un cul-de-poule la viande passée au robot et ajouter le jus de champignons, la poudre de lait, la farine, la crème 35 %, le sel, et le poivre.
- Mélanger intimement à l'aide d'une spatule ; ajouter les cubes de ris de veau, les champignons et les échalotes.
- Bien mélanger cet appareil afin de le rendre homogène.
- Vérifier l'assaisonnement et la rectifier au besoin.
- Mettre l'appareil dans une terrine en pyrex ou en fonte, la forme de votre choix.
- Recouvrir la terrine d'un papier ciré et la faire cuire au four au bain-marie à 120°C (250°F) pendant 150 minutes.

On peut tester les saveurs de la terrine en prenant une petite quantité que l'on fait cuire à la poêle; cela vous donnera une idée du goût qu'elle a et, s'il le faut, rectifier l'assaisonnement.

LES ENTRÉES CHAUDES

Agnelotti de confit de jarret de veau, pesto de tomates séchées et d'amandes
Aigre-doux de tomates cerises et pétoncles
Découverte d'antipasto, saucisson italien, haricots romains,
fromage de chèvre et suc de porto
Dumplings d'escargots aux herbages, vinaigrette de tomates et d'ail grillés
Poêlée de crevettes et gnocchi, beurre de tomates et chanterelles
Préface de langoustines et foie gras, infusion de cerfeuil
Ravioles de canard à l'infusion de thym et poêlée de foie gras
Risotto d'orge garni de petits-gris, sauce veloutée au chardonnay, tuile de gruyère
Sashimi de saumon poêlé à l'unilatérale, vinaigrette orientale et huile de coriandre
Tempura de crevettes à la julienne d'ignames, sauce wasabi
Wontons de pétoncles, beurre de poireaux et shiitake

AGNELOTTI

DE CONFIT DE JARRET DE VEAU, PESTO DE TOMATES SÉCHÉES ET D'AMANDES

Pour quatre personnes :

1	**jarret de veau confit (voir recette)**
125 ml (1/2 tasse)	**pesto de tomates séchées (voir recette)**
8	**feuilles de lasagne de 7.5 cm x 7.5 cm (3 po x 3 po)**
1	**jaune d'oeuf**
250 ml (1 tasse)	**sauce cabernet (voir recette)**
1	**oignon**
60 ml (4 c. à soupe)	**farine d'épices (voir recette)**
60 ml (4 c. à soupe)	**sauce secrète (voir recette)**

- Désosser le jarret de veau et en écraser les morceaux à la fourchette en ajoutant 4 c. à soupe de pesto de tomates séchées et d'amandes.
- Étaler sur une table 4 feuilles de lasagne; diviser en 4 l'appareil à confit et le mettre au centre de chaque pâte.
- Badigeonner la pâte visible à l'aide du jaune d'oeuf.
- Recouvrir cette dernière d'une autre pâte.
- Bien joindre les contours puis les tailler à l'aide d'un emporte-pièce rond.
- Faire chauffer la sauce cabernet; réserver.
- Couper l'oignon en rondelles, les mélanger à la farine d'épices et les faire frire à la friteuse à 200°C (400°F) pendant 2 minutes.
- Enlever les rondelles d'oignon et les déposer sur un papier absorbant.
- Faire également frire de chaque côté les agnelotti pendant 2 minutes.
- Déposer au centre de chaque assiette creuse 1 c. à soupe de pesto puis l'agnelotto, ensuite verser 4 c. à soupe de sauce cabernet; garnir d'oignons frits et verser 1 c. à soupe de sauce secrète.
- Décorer de quelques pousses de pois.

AIGRE-DOUX DE TOMATES

CERISES ET PÉTONCLES

Pour quatre personnes :

12	**tomates cerises**
45 ml (3 c. à soupe)	**farine d'épices (voir recette)**
24	**pétoncles (gros)**
15 ml (1 c. à soupe)	**beurre**
15 ml (1 c. à soupe)	**huile d'olive**
30 ml (2 c. à soupe)	**sucre**
125 ml (1/2 tasse)	**fumet océane (voir recette)**
5 ml (1 c. à thé)	**paprika**
10 ml (2 c. à thé)	**moutarde de Dijon**
15 ml (1 c. à soupe)	**aneth frais**
quantité suffisante	**sel et poivre noir**

- Laver les tomates et piquer au couteau les deux extrémités.
- Fariner légèrement les pétoncles ; réserver.
- Dans une poêle, faire chauffer le beurre, l'huile et faire cuire de chaque côté les pétoncles pendant 1 minute ; les retirer et les garder au chaud.
- Garder la même poêle et faire sauter les tomates cerises pendant 1 minute ; ajouter le sucre, le sel et le poivre et mettre les tomates avec les pétoncles.
- Dans la même poêle, mettre le fumet, le paprika, la moutarde et l'aneth haché ; assaisonner et faire réduire la sauce du tiers.
- Mettre au centre de chaque assiette 3 tomates cerises puis ajouter les pétoncles autour des tomates et napper de sauce pour finir.
- Décorer de brins d'aneth.

DÉCOUVERTE D'ANTIPASTO, SAUCISSON ITALIEN, HARICOTS ROMAINS, FROMAGE DE CHÈVRE ET SUC DE PORTO

Pour six personnes :

250 ml (1 tasse)	**haricots romains secs**
250 ml (1 tasse)	**oignons**
4	**gousses d'ail**
2	**tomates**
60 ml (4 c. à soupe)	**huile d'olive**
5 ml (1 c. à thé)	**pili-pili**
15 ml (1 c. à soupe)	**origan frais**
2	**saucisses italiennes épicées**
4	**feuilles de laitue boston**
6	**tranches de fromage de chèvre**
quantité suffisante	**sel et poivre noir**
quantité suffisante	**suc de porto (voir recette)**

- La veille, faire tremper les haricots romains dans l'eau froide pendant 24 heures.
- Le lendemain, rincer les haricots et les faire cuire à l'eau légèrement salée pendant 45 minutes.
- Éplucher et émincer les oignons et l'ail.
- Laver et couper les tomates en 8.
- Dans une casserole, faire chauffer l'huile d'olive et faire suer les oignons et l'ail (jusqu'à ce qu'ils soient dorés).
- Ajouter les tomates, le pili-pili, l'origan, le sel et le poivre.

- Rincer les haricots après la cuisson et les ajouter à l'appareil de tomates.
- Couper chaque saucisse italienne en 12 tranches; les faire cuire dans une poêle sans aucune matière grasse (jusqu'à ce qu'elles soient colorées).
- Ajouter les feuilles de laitue.
- Incorporer les saucisses à l'appareil de tomates et de haricots et bien mélanger le tout.
- Déposer sur une plaque allant au four 6 cercles de métal de 9 cm x 9 cm (3 po x 3 po); remplir chaque cercle de l'appareil et déposer par-dessus une tranche de fromage de chèvre.
- Mettre la plaque au four à 180°C (350°F) pendant 7 minutes. (Le fromage doit être fondu et coloré.)
- Retirer la plaque du four et déposer le cercle au centre de chaque assiette; démouler et verser un filet de suc de porto autour de l'antipasto.
- On peut faire cuire les haricots la veille et les conserver au réfrigérateur dans une boîte hermétique.
- Garnir cette entrée de quelques tuiles de tubercules (voir recette).

DUMPLINGS D'ESCARGOTS

AUX HERBAGES, VINAIGRETTE DE TOMATES ET D'AIL GRILLÉS

Pour quatre personnes :

125 ml (1/2 tasse)	**carotte**
125 ml (1/2 tasse)	**poireau**
125 ml (1/2 tasse)	**chou Nappa**
125 ml (1/2 tasse)	**concombre**
125 ml (1/2 tasse)	**christofine**
30 ml (2 c. à soupe)	**beurre**
5 ml (1 c. à thé)	**sambal oelek**
30 ml (2 c. à soupe)	**nuoc mam**
30 ml (2 c. à soupe)	**huile de sésame rôti**
125 ml (1/2 tasse)	**basilic thaï**
16	**feuilles de froment (grand)**
32	**escargots frais**
2	**blancs d'œufs**
quantité suffisante	**vinaigrette de tomates et d'ail grillés (voir recette)**
quantité suffisante	**sel et poivre**

- Laver et couper en julienne la carotte, le poireau, le chou Nappa, le concombre et la christofine.
- Dans une casserole, faire chauffer le beurre et bien faire suer tous les légumes ; assaisonner de sel, de poivre et de sambal oelek.

- Ajouter le nuoc mam, l'huile de sésame et les feuilles de basilic entières.
- Laisser refroidir l'appareil.
- Étaler sur une table 4 feuilles de froment et y déposer au centre les légumes et 4 escargots.
- Plier la partie inférieure par-dessus les légumes ; badigeonner légèrement de blancs d'œufs les rebords gauche et droit.
- Plier ces rebords vers l'intérieur en formant un cylindre.
- Recommencer cette opération pour avoir 2 feuilles autour du dumpling (il sera plus croustillant).
- Faire cuire les dumplings à la friteuse à 200°C (400°F) pendant 3 minutes.
- Servir les dumplings avec une salade de pois chinois et la vinaigrette de tomates et d'ail grillés.

POÊLÉE DE CREVETTES

ET GNOCCHI, BEURRE DE TOMATES ET CHANTERELLES

Pour quatre personnes :

2	**tomates**
45 ml (3 c. à soupe)	**beurre**
250 ml (1 tasse)	**gnocchi**
45 ml (3 c. à soupe)	**huile d'olive**
1	**échalotes françaises**
1	**tomates séchées**
250 ml (1 tasse)	**chanterelles**
125 ml (1/2 tasse)	**bouillon de volaille (voir recette)**
30 ml (2 c. à soupe)	**crème 35 %**
30 ml (2 c. à soupe)	**sauge fraîche**
16	**crevettes (grosses)**
quantité suffisante	**sel et poivre noir**

- Émonder, épépiner et émincer les tomates.
- Dans une casserole, mettre les tomates, 2 c. à soupe de beurre, le sel et le poivre et faire cuire pendant 15 minutes.
- Passer cet appareil au robot et garder au chaud.
- Faire pocher les gnocchi à l'eau légèrement salée pendant 8 minutes.
- Dans une casserole, faire fondre 1 c. à soupe de beurre et 1 c. à soupe d'huile puis faire suer les échalotes françaises et les tomates séchées émincées.
- Ajouter les chanterelles et faire cuire pendant 4 minutes; ajouter ensuite le bouillon de volaille, les gnocchi, la crème 35 % et la sauge hachée.
- Dans une poêle, faire chauffer 1 c. à soupe d'huile et faire cuire les crevettes pendant 3 minutes.
- Diviser l'appareil à gnocchi dans chaque assiette et mettre les crevettes puis déposer au centre 1 c. à soupe de beurre de tomates.
- Garnir ce plat de sauge en tempura ou de sauge frite.

PRÉFACE DE LANGOUSTINES

ET FOIE GRAS, INFUSION DE CERFEUIL

Pour quatre personnes :

120 g (4 oz)	**mesclun**
125 ml (1/2 tasse)	**fond de canard (voir recette)**
1	**bouquet de cerfeuil**
15 ml (1 c. à soupe)	**beurre doux**
16	**langoustines**
30 ml (2 c. à soupe)	**farine d'épices (voir recette)**
4	**tranches de foie gras de 85 g (3 oz) chacune**
30 ml (2 c. à soupe)	**huile de crevettes (voir recette)**
4	**tranches de cake de maïs (voir recette)**
125 ml (1/2 tasse)	**suc de porto (voir recette)**
12	**tuiles de tubercules (voir recette)**
quantité suffisante	**sel et poivre**

- Laver le mesclun ; réserver.
- Faire chauffer le fond de canard et faire réduire de moitié ; y ajouter les 2/3 de la botte de cerfeuil, le beurre et passer au mélangeur.
- « Chinoiser » (ne garder que le jus).
- Décortiquer les langoustines et les mettre sur un papier absorbant.
- Fariner les tranches de foie gras et les poêler de chaque côté, sans matière grasse, dans une poêle antiadhésive pendant 2 minutes.
- Durant ce temps, fariner et poêler les langoustines dans l'huile de crevettes pendant aussi 2 minutes (elles doivent rester croquantes).
- Déposer dans chaque assiette le mesclun, les tranches de cake de maïs et napper chaque mesclun de 2 c. à soupe de suc de porto.
- Déposer la tranche de foie gras sur le cake.
- Garnir celle-ci de brins de cerfeuil et la surmonter de 4 langoustines.
- Napper le tout d'infusion de cerfeuil.
- Décorer de tuiles de tubercules et de brins de cerfeuil.

RAVIOLES DE CANARD

À L'INFUSION DE THYM ET POÊLÉE DE FOIE GRAS

Pour quatre personnes :

1	**oignon**
2	**gousses d'ail**
1	**magret de canard de 300 g (10 oz)**
60 ml (4 c. à soupe)	**huile d'olive**
5 ml (1 c. à thé)	**basilic**
5 ml (1 c. à thé)	**cumin moulu**
80 ml (1/3 tasse)	**persil**
60 ml (4 c. à soupe)	**chapelure de pain**
1	**recette de pâte alimentaire (voir recette)**
2	**jaunes d'œufs**
250 ml (1 tasse)	**fond de canard (voir recette)**
30 ml (2 c. à soupe)	**thym frais**
30 ml (2 c. à soupe)	**farine**
4	**tranches de foie gras de 50 g (2,5 oz)**
quantité suffisante	**sel et poivre**

- Éplucher l'oignon et l'ail.
- Émincer le canard en laissant le gras.
- Passer au hache-viande le canard, les oignons et l'ail.
- Dans une casserole, faire chauffer l'huile d'olive et faire revenir la chair de canard assaisonnée de sel, de poivre, de basilic et de cumin.
- Laver et hacher le persil.

- Quand la chair du canard sera complètement cuite,
  ajouter le persil et la chapelure ; faire cuire pendant 2 minutes et laisser refroidir.
- Couper la pâte alimentaire en 4 parties.
- Passer la pâte au laminoir et en étaler une bande sur une table ; déposer des petits paquets de canard en quinconce (vous devriez obtenir 12 ravioles).
- Badigeonner les espaces de pâte apparentes de jaunes d'œufs.
- Rouler à nouveau une bande de pâte et recouvrir les paquets de celle-ci ; presser bien les contours pour les joindre.
- Couper chaque raviole à l'aide d'une roulette cannelée ou d'un couteau.
- Répéter l'opération une autre fois.
- Porter de l'eau salée à ébullition pour faire cuire les ravioles.
- Faire chauffer le fond de canard avec le thym.
- Fariner chaque tranche de foie gras, saler et poivrer.
- Poêler de chaque côté les tranches de foie gras sans matière grasse (dans une poêle antiadhésive) pendant 1 minute.
- Faire pocher les ravioles de canard pendant 3 minutes ; les enlever de l'eau et les plonger dans le fond de canard le temps de faire cuire les tranches de foie gras.
- Déposer dans 4 assiettes 6 ravioles avec de la sauce ; surmonter le tout de la tranche de foie gras.
- Décorer d'herbages frais.

RISOTTO D'ORGE

GARNI DE PETITS-GRIS, SAUCE VELOUTÉE AU CHARDONNAY, TUILE DE GRUYÈRE

Pour quatre personnes :

125 ml (1/2 tasse)	**orge**
500 ml (2 tasses)	**bouillon de volaille (voir recette)**
4	**tuiles de gruyère (voir recette)**
32	**escargots frais (petits-gris)**
250 ml (1 tasse)	**sauce chardonnay (voir recette)**
125 ml (1/2 tasse)	**crème 35 %**
60 ml (4 c. à soupe)	**persil italien haché**
60 ml (4 c. à soupe)	**parmesan**
quantité suffisante	**sel et poivre**

- Rincer l'orge plusieurs fois à l'eau froide.
- Mettre dans une casserole le bouillon de volaille et l'orge ; assaisonner de sel et faire cuire à faible ébullition pendant 60 minutes.
- Durant ce temps, faire les tuiles de gruyère.
- Faire pocher les escargots dans l'eau légèrement salée pendant 2 minutes puis les mettre dans la sauce chardonnay.
- Faire chauffer la sauce chardonnay ; réserver.
- Égoutter l'orge après la cuisson.
- Dans une casserole, faire chauffer la crème 35 % puis y ajouter l'orge, le persil haché et le parmesan ; assaisonner le tout de sel et de poivre.
- Faire cuire l'orge jusqu'à l'absorption de la crème ; remuer constamment afin d'éviter que le parmesan ne colle à la casserole.
- Déposer dans chaque assiette un dôme de risotto, entourer le dôme des escargots et de la sauce.
- Décorer de la tuile de gruyère et de quelques herbages.

SASHIMI DE SAUMON

POÊLÉ À L'UNILATÉRALE, VINAIGRETTE ORIENTALE ET HUILE DE CORIANDRE

Pour six personnes :

250 ml (1 tasse)	**daikon**
30 ml (2 c. à soupe)	**vinaigre de riz**
6	**tronçons de saumon de 60 g (2 oz) chacun**
45 ml (3 c. à soupe)	**farine d'épices (voir recette)**
15 ml (1 c. à soupe)	**huile d'olive**
80 ml (1/3 tasse)	**vinaigrette orientale (voir recette)**
80 ml (1/3 tasse)	**huile de coriandre (voir recette)**
quantité suffisante	**sel et poivre noir**

- Éplucher et couper le daikon en julienne.
- Mélanger la julienne avec le vinaigre de riz, le sel et le poivre.
- Prendre chaque tronçon de saumon et n'en fariner qu'un seul côté.
- Dans une poêle, faire chauffer fortement l'huile d'olive et poêler chaque tronçon du côté enfariné ; les faire cuire pendant 1 minute seulement.
- Déposer dans chaque assiette un dôme de daikon mariné par-dessus le sashimi.
- Décorer les assiettes de vinaigrette orientale et d'huile de coriandre.
- On peut également ajouter des algues ou d'autres herbages.

TEMPURA DE CREVETTES

À LA JULIENNE D'IGNAMES, SAUCE WASABI

Pour quatre personnes :

12	**crevettes (grosses)**
300 ml (1 bouteille)	**soda nature (*club soda*)**
80 ml (1/3 tasse)	**farine**
5 ml (1 c. à thé)	**poudre à pâte**
5 ml (1 c. à thé)	**sel**
250 ml (1 tasse)	**ignames**
quantité suffisante	**sauce wasabi (voir recette)**

- Enlever le cartilage et le tube digestif des crevettes.
- Dans un cul-de-poule, mélanger le soda nature, la farine , la poudre à pâte et le sel (l'appareil ressemblera à une pâte à crêpes).
- Éplucher et râper les ignames à la mandoline.
- Mélanger les crevettes, les ignames et la tempura.
- Former de petits baluchons avec les crevettes.
- Faire cuire chaque crevette à la friteuse à 200°C (400°F) pendant 3 minutes.
- Déposer les crevettes tempura sur un papier absorbant.
- Servir avec une salade et la sauce wasabi (voir recette).

WONTONS DE PÉTONCLES,

BEURRE DE POIREAUX ET SHIITAKE

Pour quatre personnes :

24	**pétoncles**
30 ml (2 c. à soupe)	**pesto de tomates séchées (voir recette)**
10 ml (2 c. à thé)	**nuoc mam**
1	**paquet de pâtes wonton (grand)**
8	**shiitake**
250 ml (1 tasse)	**poireaux**
250 ml (1 tasse)	**fumet de poisson (voir recette)**
60 ml (4 c. à soupe)	**beurre doux**
quantité suffisante	**sel et poivre**

- Hacher grossièrement les pétoncles ; mélanger les pétoncles avec le pesto en y ajoutant 1 c. à thé de nuoc mam.
- Étaler sur une table les petits carrés de pâte et y déposer au centre un peu d'appareil à pétoncles.
- Badigeonner d'eau, à l'aide d'un pinceau, les bords apparents et recouvrir d'un autre carré de pâte.
- Bien presser les pâtes ensemble et couper à l'aide d'un emporte-pièce rond. (Vous devrez obtenir 24 wontons.)
- Faire pocher les wontons à l'eau salée pendant 3 minutes et réserver.
- Enlever les queues de shiitake puis les émincer.
- Laver et émincer les poireaux en biseau.
- Faire bouillonner le fumet de poisson puis ajouter les shiitake, les poireaux et 1 c. à thé de nuoc mam.
- Laisser cuire pendant 3 minutes puis ajouter le beurre.
- Mettre les wontons dans la sauce et faire cuire pendant 2 minutes ; rectifier l'assaisonnement au besoin.

LES POISSONS, COQUILLAGES ET CRUSTACÉS

Aigre-doux d'espadon, banane plantain, salade de shiitake, sauce poivron et citronnelle
Aile de raie vapeur, vinaigrette tiède de tomates séchées et tequila
Arlequin de homard et rillettes de canard au fumet conjugué
Dumpling de lotte et lotte, sabayon à la moutarde et au miel
Filets d'omble chevalier à la relish de concombre et jicama
Filets de rouget à l'émulsion d'huile d'olive et tamari
Mahi-mahi sauce au thé de jasmin, stoemp aux endives
Médaillons de lotte et saumon fumé à la crème d'oignons
Pavé de flétan braisé, compote de chou rouge
Pavé de morue étuvé au lait de pétales d'aulx et crème sure, croûte de fromage
Pièce de flétan sur le gril parfumée aux shiitake et basilic, lit de vermicelles frits
Pot-au-feu de la mer au lait de coco et haricots coco
Ravioli ouvert aux crevettes, mixte de légumes exotiques
Saumon façon Southwest aux christofines et galette de polenta
Thon aux pousses de soja et asperges, œuf mollet poêlé aux épices

AIGRE-DOUX D'ESPADON,

BANANE PLANTAIN, SALADE DE SHIITAKE, SAUCE POIVRON ET CITRONNELLE

Pour quatre personnes :

3	**branches de citronnelle**
4	**pièces d'espadon de 150 g (5 oz) chacune**
15 ml (1 c. à soupe)	**épices cajun**
375 ml (1 1/2 tasse)	**fumet océane (voir recette)**
1	**poivron rouge**
8	**shiitake**
45 ml (3 c. à soupe)	**huile d'olive**
1	**banane plantain**
15 ml (1 c. à soupe)	**farine**
15 ml (1 c. à soupe)	**sucre en poudre**
15 ml (1 c. à soupe)	**beurre doux**
30 ml (2 c. à soupe)	**mirin**
quantité suffisante	**sel et poivre**

- Prendre une branche de citronnelle et la diviser en 4 dans le sens de la longueur et passer chaque branche au travers de chacune des 4 pièces d'espadon assaisonnée d'épices cajun, de sel et de poivre.
- Faire chauffer le fumet océane et y ajouter les 2 autres branches de citronnelle et le poivron rouge hachés.
- Enlever les queues des shiitake (elles sont dures) puis émincer les têtes le plus finement possible; les mélanger avec 1 c. à soupe d'huile d'olive et d'épices cajun.

- Éplucher la banane plantain et la couper en forme de bâtonnets.
- Saupoudrer ces bâtonnets de farine et d'épices cajun.
- Dans une poêle, faire chauffer le beurre avec 1 c. à soupe d'huile et faire cuire de chaque côté les pièces d'espadon pendant 4 minutes.
- Durant ce temps, faire sauter les bâtonnets à l'huile d'olive ; quand ils seront colorés, ajouter le sucre en poudre et garder au chaud.
- Reprendre la poêle des espadons et enlever l'excédent de gras puis déglacer au mirin.
- Filtrer la sauce à l'étamine qui sera réduite du tiers.
- Déposer dans chaque assiette les bâtonnets surmontés de l'espadon ; napper de la sauce puis garnir de shiitake.

(La sauce sera très liquide ; il faudra prévoir des assiettes creuses.)

AILE DE RAIE VAPEUR,

VINAIGRETTE TIÈDE DE TOMATES SÉCHÉES ET TEQUILA

Pour quatre personnes :

2	**branches de romarin**
30 ml (2 c. à soupe)	**thé vert**
2	**ailes de raie nettoyées**
2	**échalotes françaises**
8	**tomates séchées**
45 ml (3 c. à soupe)	**beurre doux**
45 ml (3 c. à soupe)	**vinaigre de riz**
60 ml (4 c. à soupe)	**tequila**
80 ml (1/3 tasse)	**fumet océane (voir recette)**
quantité suffisante	**sel et poivre**

- Mettre de l'eau dans un couscoussier ou un cuiseur-vapeur avec le romarin et le thé vert; faire bouillir.
- Nettoyer les raies et les débarrasser de leur peau.
- Assaisonner les raies et les faire cuire à la vapeur pendant 12 minutes.
- Éplucher et émincer les échalotes; émincer très finement les tomates séchées.
- Faire chauffer 1 c. à soupe de beurre dans une poêle et faire revenir les échalotes avec les tomates; assaisonner et faire cuire pendant 5 minutes puis déglacer avec le vinaigre de riz et la tequila; laisser évaporer le vinaigre.
- Ajouter le fumet puis laisser réduire de moitié.
- Lier cette vinaigrette avec les 2 c. à soupe de beurre et rectifier l'assaisonnement au besoin.
- Retirer les raies du couscoussier et enlever les arêtes puis diviser la chair blanche en 4 parties égales.
- Déposer la chair des raies dans des assiettes et napper de la vinaigrette tiède.

Ce plat s'accompagne très bien d'une salade de fenouil au basilic et prosciutto (voir recette).

ARLEQUIN DE HOMARD

ET RILLETTES DE CANARD AU FUMET CONJUGUÉ

Pour quatre personnes :

1	**homard de 450 g (1 lb)**
1	**échalote française**
30 ml (2 c. à soupe)	**beurre doux**
60 ml (4 c. à soupe)	**céleri-rave**
250 ml (1 tasse)	**champignons de Paris**
15 ml (1 c. à soupe)	**huile d'olive**
125 ml (1/2 tasse)	**crème 35 %**
16	**feuilles de lasagne (7.5 cm x 7.5 cm ou 3 po x 3 po)**
250 ml (1 tasse)	**fond de canard (voir recette)**
8	**feuilles de basilic**
120 g (4 oz)	**rillettes de canard (voir recette)**
quantité suffisante	**sel et poivre**

- Faire cuire le homard à la vapeur pendant 3 minutes.
- Décortiquer le homard et ne garder que la chair; la hacher ensuite grossièrement.
- Éplucher et émincer l'échalote; dans une poêle, faire chauffer 1 c. à soupe de beurre et faire suer l'échalote; ajouter ensuite la chair de homard et assaisonner.
- Faire cuire pendant 3 minutes.
- Conserver dans un four chaud.
- Éplucher et couper en brunoise le céleri-rave et émincer les champignons.
- Dans une casserole, faire chauffer 1 c. à soupe de beurre avec 1 c. à soupe d'huile et faire suer le céleri et les champignons; assaisonner.
- Faire suer jusqu'à évaporation du liquide et ajouter 60 ml de crème 35 %; faire réduire celle-ci jusqu'à l'obtention d'une crème épaisse puis conserver au four.

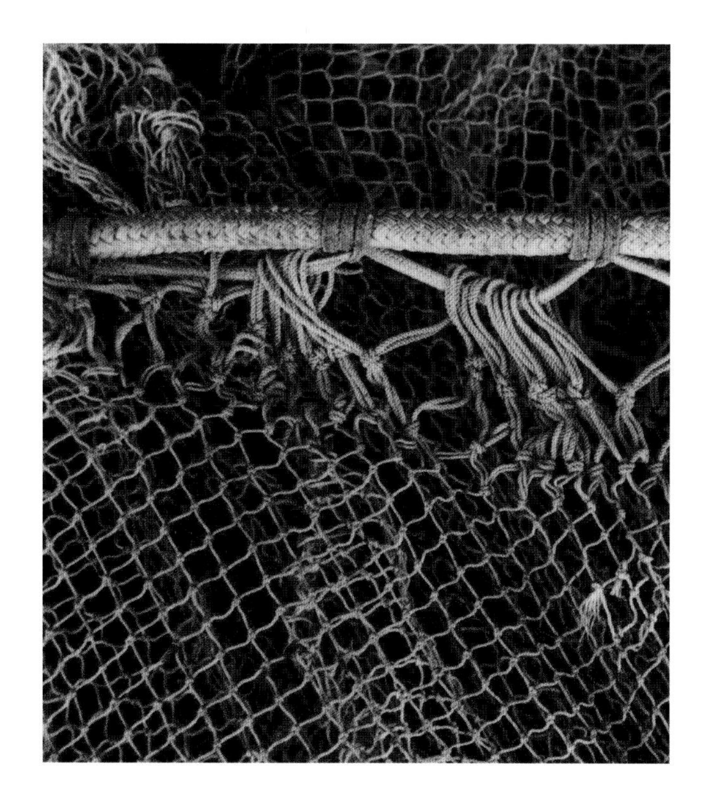

- Faire frire à l'huile dans une poêle ou à la friteuse les carrés de pâte à lasagne pendant 1 minute de chaque côté; les déposer sur un papier absorbant.
- Pour la sauce, faire réduire le fond de canard du 2/3 et y ajouter le restant de la crème 35 %.
- Rectifier l'assaisonnement puis ajouter le basilic ciselé et garder au chaud.
- Pour le montage, superposer 1 carré de pâte, la chair de homard, 1 carré de pâte, les légumes, 1 carré de pâte, les rillettes de canard et terminer par un carré de pâte.
- Mettre les arlequins au centre de chaque assiette et napper de sauce.
- Garnir de feuilles de basilic ou d'une julienne de champignons.

DUMPLING DE LOTTE
ET LOTTE, SABAYON À LA MOUTARDE ET AU MIEL

Pour quatre personnes :

1	**filet de lotte de 300g (10 oz) chacun**
1	**blanc de poireau**
30 ml (2 c. à soupe)	**beurre doux**
5 ml (1 c. à thé)	**graines de cumin**
60 ml (4 c. à soupe)	**crème 35 %**
10	**feuilles de basilic**
4	**feuilles de froment (spring roll)**
1	**blanc d'œuf**
30 ml (2 c. à soupe)	**huile d'olive**
2	**jaunes d'œufs**
5 ml (1 c. à thé)	**moutarde de Dijon**
15 ml (1 c. à soupe)	**miel**
60 ml (4 c. à soupe)	**bouillon de volaille (voir recette)**
quantité suffisante	**sel et poivre blanc**

- Couper 100 g (3 oz) de lotte en morceaux.
- Émincer et laver le blanc de poireau.
- Dans une sauteuse, faire chauffer 1 c. à soupe de beurre et faire cuire les morceaux de lotte et poireau ; assaisonner au goût et faire cuire pendant 5 minutes environ.
- Pendant ce temps, faire griller les graines de cumin et les ajouter à la préparation de lotte ainsi que la crème et le basilic.
- Après la cuisson, laisser refroidir puis faire turbiner cet appareil au robot culinaire.
- Ne pas hacher la chair trop finement.

- Prendre les feuilles de froment et les farcir de cette chair ; coller les extrémités avec du blanc d'œuf.
- Former 4 cylindres ou des petits paquets selon votre choix ; réserver.
- Préchauffer la friteuse.
- Avec la lotte restante, couper 8 médaillons de plus ou moins 25g (1Oz) chacun.
- Faire fondre un peu de beurre et d'huile d'olive dans une poêle ; assaisonner chaque médaillon et les faire cuire de chaque côté pendant 1 minute.
- Durant ce temps, faire le sabayon.
- Mettre dans un cul-de-poule les 2 jaunes d'œufs, la moutarde, le miel et le bouillon de volaille.
- Monter le sabayon au bain-marie à l'aide d'un fouet.
- Assaisonner selon votre goût.
- Plonger les dumplings dans la friteuse pendant 3 minutes ; les retirer et les déposer sur un papier absorbant.
- Déposer dans chaque assiette un morceau de lotte nappé d'un peu de sabayon ; couper le dumpling en 2 et en ajouter une moitié sur la lotte ; ajouter 1 médaillon et l'autre moitié du dumpling.
- Napper du reste de sabayon et garnir de basilic frais.

Plat original où l'on retrouvent deux préparations dans la même assiette.

FILETS D'OMBLE CHEVALIER
À LA RELISH DE CONCOMBRE ET JICAMA

Pour quatre personnes :

2	**filets d'omble de 300 g (10 oz) chacun**
1	**concombre anglais**
1	**jicama (petit)**
2	**tomates**
60 ml (4 c. à soupe)	**huile d'olive**
30 ml (2 c. à soupe)	**sucre**
60 ml (4 c. à soupe)	**vinaigre blanc**
15 ml (1 c. à soupe)	**beurre**
quantité suffisante	**sel et poivre**

- Couper chaque filet d'omble en 4 et réserver.
- Laver et épépiner le concombre et le couper en brunoise.
- Éplucher le jicama et le couper également en brunoise.
- Émonder et épépiner les tomates et les couper en petits cubes.
- Dans une sauteuse, faire chauffer l'huile d'olive et faire suer le concombre, le jicama et les tomates pendant 7 minutes.
- Ajouter ensuite le sucre, le vinaigre et assaisonner.
- Laisser mijoter le tout doucement jusqu'à l'évaporation du liquide.
- Laisser refroidir la relish de concombre à la température de la pièce.
- Beurrer une plaque allant au four et y disposer les filets d'omble puis assaisonner et recouvrir chaque filet de relish de concombre.
- Faire cuire au four à 180°C (350°F) pendant 8 minutes.

Ce plat peut se servir avec une purée de pommes de terre et céleri-rave au cumin grillé et poireaux (voir recette).

FILETS DE ROUGET

À L'ÉMULSION D'HUILE D'OLIVE ET TAMARI

Pour quatre personnes :

1	**tomate**
8	**branches de persil**
8	**filets de rougets de 75 g (2 1/2 oz) chacun**
125 ml (1/2 tasse)	**huile d'olive**
250 ml (1 tasse)	**bouillon de volaille (voir recette)**
15 ml (1 c. à soupe)	**tamari**
15 ml (1 c. à soupe)	**beurre**
quantité suffisante	**sel et poivre**

- Émonder, épépiner et couper la tomate en brunoise.
- Laver et hacher le persil et l'ajouter à la tomate.
- Laisser la peau sur les filets de rougets et les badigeonner d'huile d'olive ; assaisonner et conserver au réfrigérateur.
- Mettre le bouillon de volaille et la sauce tamari dans une sauteuse et l'assaisonner ; faire réduire du 2/3.
- Dans une poêle, faire chauffer 2 c. à soupe d'huile d'olive et de beurre ; faire cuire de chaque côté les filets de rougets pendant 2 minutes.
- Faire bouillir la réduction de volaille et y verser l'huile d'olive en filet.
- Fouetter énergiquement (cette réduction ne doit jamais arrêter de bouillir).
- Ajouter la tomate et le persil.
- Déposer les filets de rougets sur les assiettes et verser l'émulsion d'huile d'olive.
- Ne servir qu'un seul filet par personne.

Ce plat peut être servi en entrée.
Ce plat s'accompagne d'une poêlée de fonds d'artichauts et courgettes à l'ail doux.

MAHI-MAHI

SAUCE AU THÉ DE JASMIN, STOEMP AUX ENDIVES

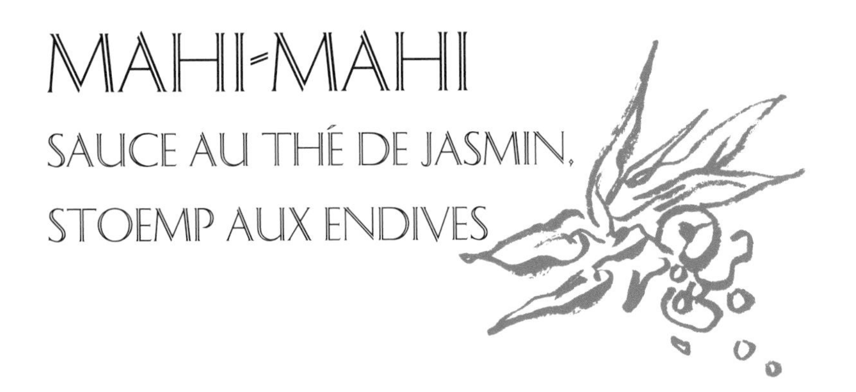

Pour quatre personnes :

125 ml (1/2 tasse)	**oignon**
60 ml (4 c. à soupe)	**beurre doux**
5 ml (1 c. à thé)	**sucre en poudre**
125 ml (1/2 tasse)	**vin de type riesling**
15 ml (1 c. à soupe)	**thé de jasmin**
375 ml (1 1/2 tasse)	**bouillon de volaille (voir recette)**
15 ml (1 c. à soupe)	**huile d'olive**
4	**filets de mahi-mahi de 150 g (5 oz) chacun**
quantité suffisante	**stoemp aux endives (voir recette)**
quantité suffisante	**sel et poivre**

- Éplucher et émincer les oignons.
- Dans une sauteuse, faire chauffer 1 c. à soupe de beurre et faire suer les oignons jusqu'à une coloration caramel.
- Ajouter le sucre en poudre et déglacer avec le vin de type riesling.
- Réduire le vin du 2/3; ajouter le thé de jasmin et le bouillon de volaille.
- Faire réduire à faible ébullition la sauce du 2/3 puis passer à l'étamine en pressant bien les oignons; conserver au chaud.

- Dans une poêle, faire chauffer 1 c. à soupe d'huile d'olive avec 1 c. à soupe de beurre ; assaisonner puis faire cuire de chaque côté les pièces de mahi-mahi pendant 2 minutes et terminer la cuisson au four à 200°C (400°F) pendant 7 minutes.
- Durant ce temps, faire chauffer le stoemp aux endives.
- Terminer la sauce en ajoutant 2 c. à soupe de beurre.
- Mettre au centre de chaque assiette, le stoemp aux endives surmonté du mahi-mahi et napper de la sauce selon votre goût.
- Décorer avec une julienne d'endives crues légèrement assaisonnées de poivre et d'huile d'olive.

MÉDAILLONS DE LOTTE

ET SAUMON FUMÉ À LA CRÈME D'OIGNONS

Pour quatre personnes :

1	**lotte de 1,3 kg (3 lb)**
8 escalopes	**saumon fumé**
180 g (6 oz)	**crépinette**
250 ml (1 tasse)	**oignons**
15 ml (1 c. à soupe)	**beurre**
45 ml (3 c. à soupe)	**vinaigre blanc**
250 ml (1 tasse)	**fumet de poisson (voir recette)**
125 ml (1/2 tasse)	**crème 35 %**
30 ml (2 c. à soupe)	**huile d'olive**
quantité suffisante	**sel et poivre**

- Nettoyer la lotte pour n'en prendre que les 2 filets et enlever la peau.
- Couper 8 médaillons dans le sens de la largeur et les aplatir légèrement pour leur donner la même forme.
- Faire une incision dans le médaillon pour y insérer les escalopes de saumon fumé; assaisonner et emballer chaque médaillon dans la crépinette.
- Conserver au réfrigérateur le temps de préparer la sauce.
- Émincer les oignons et les faire suer dans le beurre sans les colorer puis ajouter le vinaigre et faire cuire jusqu'à son évaporation; ajouter le fumet de poisson et laisser réduire pendant 30 minutes.

- Fair turbiner la sauce au robot culinaire et filtrer à l'étamine.
- Remettre la sauce sur le feu et y ajouter la crème 35 %.
- Dans une poêle, faire chauffer l'huile d'olive et faire cuire de chaque côté les médaillons pendant 2 minutes.
- Mettre les médaillons au four à 180°C (350°F) pendant 10 minutes.
  (Après la cuisson, il est préférable d'enlever la crépinette des médaillons.)
- Verser sur le fond de l'assiette la crème d'oignons et déposer 2 médaillons par personne.

Les médaillons peuvent être servis avec une julienne de pois mange-tout et pâtes soba (voir recette).

PAVÉ DE FLÉTAN BRAISÉ,
COMPOTE DE CHOU ROUGE

Pour quatre personnes :

500 ml (2 tasses)	**fond de veau (voir recette)**
6	**feuilles de laurier**
500 ml (2 tasses)	**compote de chou rouge (voir recette)**
4	**filets de flétan de 120 g (4 oz) chacun**
60 ml (4 c. à soupe)	**huile de crevettes (voir recette)**
30 ml (2 c. à soupe)	**beurre doux**
quantité suffisante	**sel, poivre noir en grains**

- Dans une casserole, verser le fond de veau et ajouter les feuilles de laurier.
- Laisser réduire ce fond du 2/3. Quand le fond sera réduit, rectifier l'assaisonnement et enlever les feuilles de laurier.
- Passer le fond à l'étamine et garder au chaud.
- Diviser la compote de chou rouge en quatre parties égales et la déposer sur une plaque allant au four.
- Badigeonner d'huile de crevettes chaque pavé de flétan assaisonné de sel et poivre ; les déposer ensuite sur la compote.
- Faire cuire au four les pavés à 180°C (350°F) pendant 12 minutes.
- À la sortie du four, déposer les pavés sur chaque assiette.
- Faire chauffer le fond de veau (qui sera une glace de viande) et ajouter le beurre doux.
- Napper chaque pavé de la sauce.

PAVÉ DE MORUE ÉTUVÉ

AU LAIT DE PÉTALES D'AULX ET CRÈME SURE, CROÛTE DE FROMAGE

Pour quatre personnes :

12	**gousses d'ail**
375 ml (1 1/2 tasse)	**lait 3,25 %**
80 ml (1/3 tasse)	**crème 35 %**
45 ml (3 c. à soupe)	**crème sure**
4	**filets de morue de 150 g (5oz) chacun**
120 g (4 oz)	**fromage cheddar râpé**
15 ml (1 c. à soupe)	**huile d'olive**
4	**courgettes (petites)**
15 ml (1 c. à soupe)	**graines de sésame noires**
quantité suffisante	**sel et poivre blanc**

- Éplucher l'ail et l'escaloper finement.
- Conserver 1/3 des pétales d'aulx.
- Mettre dans une poêle allant au four le lait, la crème, la crème sure et les 2/3 des pétales d'aulx.
- Assaisonner de sel et de poivre; faire chauffer le tout jusqu'à frémissement.
- Assaisonner légèrement chaque pavé de morue et les déposer dans la préparation de lait.
- Recouvrir chaque pavé de morue avec le fromage cheddar râpé.
- Mettre la poêlée au four et faire cuire à gril pendant 14 minutes.
- Après la cuisson, retirer délicatement les pavés.

- Faire réduire la sauce jusqu'à consistance voulue.
- Pour la présentation de l'assiette, faire sauter dans un peu d'huile d'olive le tiers des pétales d'aulx pour leur donner une légère coloration.
- Laver et escaloper les courgettes en fines tranches dans le sens de la longueur.
- Plonger les tranches de courgettes dans la sauce crémeuse pendant 1 minute.
- Diviser en parts égales les courgettes dans chaque assiette et les saupoudrer de graines de sésame noires.
- Déposer ensuite les pavés sur les courgettes et servir aussitôt.

PIÈCE DE FLÉTAN

SUR LE GRIL PARFUMÉE AUX SHIITAKE ET AU BASILIC, LIT DE VERMICELLES FRITS

Pour quatre personnes :

quantité suffisante	**vermicelles de riz frit**
5 ml (1 c. à thé)	**coriandre en poudre**
5 ml (1 c. à thé)	**sel de céleri**
2.5 ml (1/2 c. à thé)	**poivre noir**
4	**filets de flétan de 150 g (5 oz) chacun**
20 ml (4 c. à thé)	**huile d'olive**
10	**shiitake frais (moyens)**
16	**feuilles de basilic thaï**
45 ml (3 c. à soupe)	**beurre doux**
125 ml (1/2 tasse)	**fumet de poisson**

- Préchauffer le gril.
- Former 4 nids de vermicelles frits.
- Mélanger dans un petit bol la coriandre, le sel de céleri et le poivre.
- Badigeonner chaque pièce de flétan avec l'huile d'olive et saupoudrer de l'assaisonnement.
- Laisser mariner les flétans pendant15 minutes avant de les faire griller.
- Durant ce temps, enlever les queues des shiitake et les émincer.
- Ciseler les feuilles de basilic et réserver.

- Dans une sauteuse, faire fondre 1 c. à soupe de beurre et faire sauter les shiitake pendant 1 minute ; ajouter le fumet de poisson et laisser réduire lentement du tiers.
- Faire griller de chaque côté les pièces de flétan pendant 3 minutes.
- Dans chaque assiette, déposer un nid de vermicelles frits puis la pièce de flétan.
- Reprendre le fumet et y incorporer le beurre restant ; à la fin, ajouter le basilic et assaisonner selon votre goût.
- Napper les pièces de flétan de la sauce et décorer d'herbages selon la saison.
- On peut remplacer les vermicelles de riz par de très fines pâtes alimentaires.

POT-AU-FEU DE LA MER
AU LAIT DE COCO ET AUX HARICOTS COCO

Pour quatre personnes :

250 ml (1 tasse)	haricots coco secs
1	oignon
1	branche de céleri
2	feuilles de laurier
45 ml (3 c. à soupe)	huile d'olive
16	moules
16	pétoncles
12	crevettes
12	palourdes
120 g (4 oz)	filet de lotte
120 g (4 oz)	espadon
120 g (4 oz)	mahi-mahi
2	tomates
15 ml (3 c. à thé)	épices cajun
8	shiitake
500 ml (2 tasses)	fumet océane (voir recette)
10 ml (2 c. à thé)	nuoc mam
5 ml (1 c. à thé)	safran
125 ml (1/2 tasse)	lait de coco
quantité suffisante	sel et poivre

- Faire tremper les haricots préalablement pendant 24 heures.
- Le jour suivant, mettre les haricots dans un chaudron avec l'oignon, le céleri, les feuilles de laurier, l'eau froide et le sel; faire cuire à faible ébullition pendant 60 minutes. (Quand les haricots* seront cuits, les égoutter et les ajouter au fumet.)
- Couper chaque poisson en 4 parts égales.
- Huiler une plaque allant au four et déposer tous les poissons, les mollusques et les tomates coupées en deux; assaisonner légèrement avec les épices cajun, le sel et le poivre.
- Émincer les shiitake sans les queues.
- Faire chauffer le fumet océane et y ajouter le safran, le nuoc mam, le lait de coco.
- Faire cuire les poissons au four à 200°C (400°F) pendant 6 minutes (il se peut que certains mollusques méritent plus de cuisson; à vous de juger).
- Mettre les shiitake dans des assiettes creuses et verser un peu de fumet avec les haricots; déposer les poissons et mollusques et recouvrir à nouveau du fumet garni de la tomate.
- Garnir de feuilles de coriandre, de persil italien ou d'aneth.

* *Les haricots peuvent être cuits une journée à l'avance et conservés au réfrigérateur.*

On peut également mettre tous les poissons et mollusques dans le fumet avec les haricots cuits. Ce plat ressemblera davantage à une soupe gourmande.

RAVIOLI OUVERT

AUX CREVETTES, MIXTE DE LÉGUMES EXOTIQUES

Pour quatre personnes :

24	**crevettes (grosses)**
80 ml (1/3 tasse)	**huile de crevettes (voir recette)**
quantité suffisante	**sel de céleri**
8	**feuilles de lasagne (7,5 cm x 7,5 cm ou 3 po x 3 po)**
400 ml (1 2/3 tasse)	**mixte de légumes exotiques (voir recette)**
200 ml (3/4 tasse)	**fumet de poisson (voir recette)**
60 ml (4 c. à soupe)	**vinaigre de xérès**
125 ml (1/2 tasse)	**beurre doux**
16	**feuilles de basilic**
quantité suffisante	**sel, poivre blanc et poivre noir en grains**

- Décortiquer les crevettes et garder les carcasses pour en faire de l'huile de crevettes.
- Badigeonner les crevettes avec son huile ; les déposer sur une plaque allant au four et assaisonner de sel de céleri. Réserver.
- Préchauffer le four à 180°C (350°F).
- Faire cuire les feuilles de lasagne à l'eau salée (quand elles seront cuites, les garder dans l'eau pour qu'elles ne collent pas ensemble).
- Faire chauffer à feu doux le mixte de légumes exotiques.
- Faire chauffer le fumet de poisson avec le vinaigre de xérès (lorsque le fumet bouillonne, diminuez le degré de chaleur et ajoutez-y le beurre doux).

- Enfourner les crevettes et faire cuire pendant 4 minutes.
- Au centre de chaque assiette, former un dôme de mixte de légumes et ajouter par-dessus une feuille de lasagne; verser un peu de sauce et déposer 4 crevettes sur la pâte; rajouter un peu de mixte de légumes et mettre l'autre pâte par-dessus; ajouter les 2 crevettes restantes et napper de sauce.
- Décorer avec du basilic frais.
- Donner quelques tours de moulin de poivre noir.

SAUMON FAÇON SOUTHWEST
AUX CHRISTOFINES ET GALETTE DE POLENTA

Pour quatre personnes :

4	**filets de saumon de 150 g (5 oz) chacun**
80 ml (1/3 tasse)	**sauce Tex-Mex (voir recette)**
3	**christofines**
10 ml (2 c .à thé)	**beurre**
4	**galettes de polenta (voir recette)**
30 ml (2 c. à soupe)	**huile d'olive**
quantité suffisante	**épices cajun**
60 ml (4 c. à soupe)	**crème sure**
quantité suffisante	**sel et poivre**

- Préchauffer le gril.
- Badigeonner copieusement chaque pièce de saumon de la sauce Tex-Mex et laisser mariner pendant 30 minutes.
- Durant ce temps, éplucher et couper les christofines en julienne.
- Badigeonner de beurre les 4 galettes de polenta.
- Mettre les polentas sur une plaque allant au four.
- Dans un wok, faire chauffer l'huile d'olive et faire sauter les christofines assaisonnées d'épices cajun, de sel et de poivre selon votre goût ou pendant 5 minutes environ ; ajouter 2 c. à soupe de sauce Tex-Mex et laisser caraméliser.
- Sur la même plaque que les galettes de polenta, former 4 dômes de christofines.
- Mettre la plaque au four à 180°C (350°F) durant la cuisson des saumons.
- Griller de chaque côté les saumons pendant 3 minutes.
- Dresser dans chaque assiette le dôme de christofines, la polenta et déposer la pièce de saumon par-dessus le tout.

Vous pouvez agrémenter cette recette en servant ce plat avec de la crème sure ou de la sauce secrète (voir recette).

THON AUX POUSSES DE SOJA

ET ASPERGES, ŒUF MOLLET POÊLÉ AUX ÉPICES

Pour quatre personnes :

5	**œufs**
15 ml (1 c. à soupe)	**vinaigre blanc**
12	**asperges**
250 ml (1 tasse)	**pousses de soja**
15 ml (1 c. à soupe)	**beurre doux**
45 ml (3 c. à soupe)	**huile d'arachide**
45 ml (3 c. à soupes)	**mirin**
15 ml (1 c. à soupe)	**sauce aux huîtres**
4	**pièces de thon de 150 g (5 oz) chacune**
10 ml (2 c. à thé)	**épices cajun**
60 ml (4 c. à soupe)	**chapelure**
5 ml (1 c. à thé)	**cumin moulu**
5 ml (1 c. à thé)	**coriandre moulue**
5 ml (1 c. à thé)	**sel de céleri**
quantité suffisante	**sel et poivre**

- Casser la coquille des 4 œufs et les faire pocher dans l'eau bouillante avec le vinaigre pendant 3 minutes; les retirer et les faire refroidir.
- Éplucher les asperges et les couper en julienne de préférence de la même grosseur que les pousses de soja.
- Dans un wok, faire chauffer 1 c. à soupe de beurre avec 1 c. à soupe d'huile et faire sauter vigoureusement les asperges et les pousses de soja; assaisonner et faire cuire pendant 3 minutes puis déglacer avec le mirin.

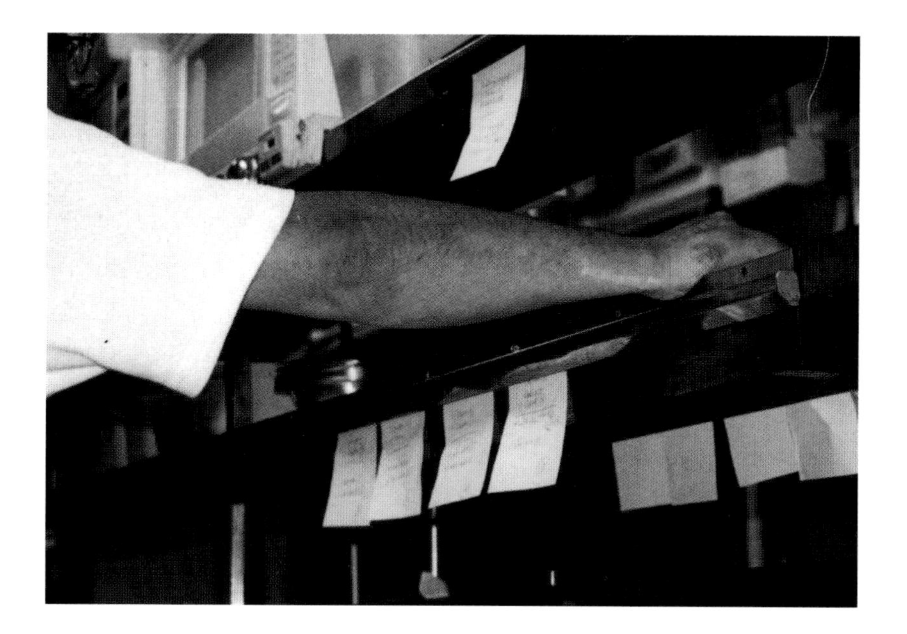

- Ajouter la sauce aux huîtres et réserver.
- Badigeonner d'huile chaque morceau de thon et l'assaisonner légèrement de sel, poivre et épices cajun.
- Griller de chaque côté le thon de 2 à 3 minutes selon l'épaisseur du thon (le thon se mange rosé de préférence).
- Mélanger intimement la chapelure, le cumin, la coriandre, le sel de céleri et les épices cajun.
- Casser l'œuf restant et bien le battre puis prendre chaque œuf mollet et l'enrober de l'œuf battu puis mélanger les œufs dans la chapelure d'épices.
- Dans une poêle, faire chauffer l'huile d'arachide et faire cuire les œufs mollets de chaque côté; le jaune doit rester coulant.
- Déposer au centre de chaque assiette les légumes surmontés du thon et de l'œuf aux épices.

LES VIANDES ET VOLAILLES

Albarines d'agneau et foie gras au jus et aux brisures d'amandes
Cassoulet de ris de veau aux aduki
Cervelle de veau et merguez, sauce miel d'épices
Côte de veau braisée au four, salsa de champignons forestiers
Foie de veau à l'orientale, tempura de pommes de terre
Provençale de ris de veau et aubergine au romarin
Rognons de veau à la bière blonde et aux rabioles
Cuissot de cochonnet du Québec, création pour la confrérie des grognons
Fondant de jarrets de porc en feuilleté
Confit de cuisses de canard
Couscous de canard confit, sauce aux tomates et poivrons au basilic
Magret de canard et crevettes à la saveur du Nouveau Monde
Couronne de cailles et son cassoulet de haricots noirs au porto
Lombes d'oie fumés, cake au maïs et jalapeño à l'infusion de cabernet sauvignon et wasabi
Waterzooïe de pintades et moules aux primeurs

ALBARINES D'AGNEAU

ET FOIE GRAS AU JUS ET BRISURES D'AMANDES

Pour quatre personnes :

4	**échalotes françaises**
2	**gousses d'ail**
2	**rognons d'agneau**
120 g (4 oz)	**foie gras**
60 ml (4 c. à soupe)	**beurre doux**
30 ml (2 c. à soupe)	**huile d'olive**
60 g (2 oz)	**brisures d'amandes**
12	**côtes d'agneau**
150 g (5 oz)	**crépinette**
300 ml (1 1/4 tasse)	**fond d'agneau (voir recette)**
1	**feuille de laurier**
90 ml (6 c. à soupe)	**estragon frais**
quantité suffisante	**sel et poivre noir**

- Éplucher et hacher finement les échalotes et l'ail.
- Escaloper chaque rognon en 2 puis les couper en petits dés.
- Escaloper 12 tranches de la pièce de foie gras et ensuite conserver le tout au frais.
- Dans une sauteuse, faire fondre 30 ml de beurre et 1 c. à soupe d'huile d'olive; faire sauter les échalotes, l'ail et les rognons assaisonnés de sel et de poivre.
- Incorporer à ce mélange 30 g (1 oz) de brisures d'amandes.
- Faire cuire pendant 3 minutes environ puis laisser refroidir cet appareil.

- Escaloper chaque côte d'agneau dans le sens de l'épaisseur pour obtenir une forme d'enveloppe (il faut absolument que l'os reste attaché à la chair).
- Déposer au centre de chaque côte un peu de rognon et la tranche de foie gras; saler et poivrer légèrement.
- Étendre la crépinette et emballer chaque albarine dans celle-ci.
- Mettre le fond d'agneau dans une sauteuse avec le laurier, l'estragon et les brisures d'amandes et faire réduire ce jus de moitié.
- Pendant ce temps, faire braiser dans un peu d'huile et de beurre les albarines pendant 2 minutes.
- Disposer les albarines sur un gratin de tomates et fromage de chèvre (voir recette).
- Passer le jus d'agneau à l'étamine et napper les albarines.

CASSOULET
DE RIS DE VEAU AUX ADUKI

Pour quatre personnes :

4	**pommes de ris de veau de 150 g (5 oz)**
100 g (3.5 oz)	**veau haché**
2	**saucisses de Toulouse**
375 ml (1 1/2 tasse)	**aduki**
500 ml (2 tasses)	**oignons**
4	**tomates moyennes**
500 ml (2 tasses)	**bouillon de volaille**
500 ml (2 tasses)	**vin rouge**
250 ml (1 tasse)	**mélasse**
6	**feuilles de laurier**
15 ml (1 c. à soupe)	**cumin**
8	**gousses d'ail**
30 ml (2 c. à soupe)	**beurre**
30 ml (2 c. à soupe)	**huile végétale**
quantité suffisante	**sel et poivre noir**

- Faire tremper les aduki dans l'eau froide pendant 6 heures.
- Éplucher et émincer les oignons et l'ail.
- Enlever les pédoncules des tomates, les laver et les trancher en gros dés.
- Enlever la pellicule des noix de ris de veau* et les laisser dégorger dans l'eau froide pendant 2 heures.
- Déposer les ris de veau sur un papier absorbant afin d'y en extraire le maximum d'eau**.

- Dans une casserole pouvant aller au four, faire chauffer l'huile et le beurre jusqu'à une coloration noisette ; assaisonner les ris de veau et les faire cuire de chaque côté jusqu'à ce qu'il soient légèrement grillés.
- Retirer les ris de veau de la casserole ; y mettre à la place les oignons et l'ail.
- Les faire colorer puis ajouter le vin rouge.
- Laisser réduire cette sauce de moitié en prenant soin de faire flamber l'alcool du vin.
- Déposer dans cette sauce les ris de veau et y ajouter tous les autres ingrédients.
- Laisser mijoter le futur cassoulet pendant 3 minutes ; mettre la casserole au four à 180°C, (375°F).pendant 60 minutes
- Sortir la casserole et la servir aussitôt.

* *Il est important d'avoir de belles noix de ris de veau et non pas des chapelets.*
** *Il faudra changer le papier absorbant pour les ris de veau plusieurs fois.*

On peut servir ce plat avec du riz, des spätzle ou simplement avec une purée de pommes de terre parfumée à l'huile d'olive et persil.

CERVELLE DE VEAU
ET MERGUEZ, SAUCE MIEL D'ÉPICES

Pour quatre personnes :

4	**double lobes de cervelle de 180 g (6 oz) chacune**
2 l (8 tasses)	**eau**
15 ml (1 c. à soupe)	**poivre noir en grains**
8	**feuilles de laurier**
60 ml (4 c. à soupe)	**vinaigre blanc**
1	**oignon**
2	**gousses d'ail**
30 ml (2 c. à soupe)	**beurre**
15 ml (1 c. à soupe)	**huile végétale**
8	**merguez**
300 ml (1 1/4 tasse)	**stoemp aux endives (voir recette)**
125 ml (1/2 tasse)	**sauce miel d'épices (voir recette)**
quantité suffisante	**sel et poivre noir**

- Faire dégorger les cervelles de veau dans l'eau froide pendant 12 heures.
- Enlever la pédicule de sang qui se trouve sur la cervelle.
- Laisser reposer les cervelles dans l'eau froide.
- Dans une casserole mettre 2 l d'eau, le poivre noir, le laurier, le vinaigre, l'oignon et l'ail.
- Faire bouillir pendant 3 minutes puis y plonger les lobes de cervelle.
- Diminuer le degré de chaleur (faire simplement frémir l'eau).
- Faire cuire les cervelles pendant 25 minutes.

PHOTO : JEAN-FRANÇOIS PRIEUR

- Laisser les cervelles refroidir dans le bouillon.
- Quand les cervelles seront froides, les sortir du bouillon et les éponger.
- Dans une poêle, faire chauffer le beurre et l'huile et y faire cuire les merguez.
- Retirer les merguez de la poêle et y ajouter les lobes de cervelle.
- Assaisonner de sel et de poivre; mettre la poêle au four à 180°C (350°F) pendant 7 minutes.
- Durant ce temps, faire chauffer le stoemp aux endives et la sauce miel d'épices.
- Déposer sur chaque assiette le stoemp d'endives, 2 merguez et les lobes de cervelle.
- Napper légèrement de la sauce miel d'épices.

CÔTE DE VEAU BRAISÉE
AU FOUR, SALSA DE CHAMPIGNONS FORESTIERS

Pour quatre personnes :

250 ml (1 tasse)	**oignon**
2	**gousses d'ail**
250 ml (1 tasse)	**yogourt**
5 ml (1 c. à thé)	**cumin moulu**
5 ml (1 c. à thé)	**cari**
5 ml (1 c. à thé)	**curcuma**
4	**côtes de veau de 250 g (8 oz) chacune**
30 ml (2 c. à soupe)	**huile végétale**
300 ml (1 1/4 tasse)	**salsa de champignons sauvages (voir recette)**
quantité suffisante	**sel et poivre noir**

- Éplucher et hacher l'oignon et l'ail.
- Dans un cul-de-poule, mélanger l'oignons, l'ail, le yogourt, le cumin, le cari et le curcuma.
- Faire mariner les côtes de veau dans cette préparation pendant 24 heures.
- Faire chauffer l'huile dans une poêle pouvant aller au four et faire cuire de chaque côté les côtes de veau pendant 2 minutes.
- Mettre la poêle au four à 200°C, (400°F) pendant 10 minutes.
- Garnir chaque assiette de salsa de champignons et déposer la côte de veau par-dessus.

On peut également faire cuire les côtes de veau sur le barbecue.
Il faut absolument que la marinade reste collée aux côtes lors de la cuisson. On peut accompagner ce plat d'une salade de votre choix, de légumes sautés au wok à l'orientale ou encore de dumpling d'ignames aux feuilles de céleri (voir recette).

FOIE DE VEAU À L'ORIENTALE,

TEMPURA DE POMMES DE TERRE

Pour quatre personnes :

300 ml (1 bouteille)	**soda nature (*club soda*)**
80 ml (1/3 tasse)	**farine**
5 ml (1 c. à thé)	**poudre à pâte**
5 ml (1 c. à thé)	**sel**
500 ml (2 tasses)	**pommes de terre**
30 ml (2 c. à soupe)	**beurre**
4	**tranches de foie de veau de 150 g (5 oz)**
60 ml (4 c. à soupe)	**mirin**
15 ml (1 c. à soupe)	**sauce aux huîtres**
60 ml (4 c. à soupe)	**fond de veau (voir recette)**
1	**gousse d'ail**
32	**feuilles de basilic thaï**
30 ml (2 c. à soupe)	**graines de sésame**
quantité suffisante	**sel et poivre noir**

- Pour le tempura, mélanger dans un cul-de-poule, le soda, la farine, la poudre à pâte et le sel.
- Éplucher, râper les pommes de terre et les saler légèrement puis leur ajouter le tempura et former des galettes avec cet appareil.
- Dans une poêle, faire chauffer le beurre et faire cuire de chaque côté les tranches de foie pendant 2 minutes; assaisonner pendant la cuisson de sel et de poivre.
- Enlever les foies de la poêle, jeter le gras et déglacer avec le mirin.

- Ajouter la sauce aux huîtres, l'ail haché, le fond de veau, les feuilles de basilic et les graines de sésame.
- Laisser réduire cette sauce (elle devra avoir la consistance d'un sirop).
- Remettre les foies dans la poêle avec la sauce et les badigeonner de la sauce.
- Durant ce temps, faire cuire à la friteuse les galettes de pommes de terre tempura à 200°C (400°F) pendant 2 minutes de chaque côté.
- Déposer chaque tempura au centre des assiettes, surmonter du foie de veau et napper du reste de sauce.

Ajouter à ce plat une salade de cresson et d'endives ou une friture de poireaux.
On peut également couper le foie en 2 et faire de plus petits tempura de pommes de terre; on présentera le plat en étages.
Il restera probablement de l'appareil à tempura, vous pourrez le conserver au réfrigérateur pendant 2 jours. Vous pourriez aussi vous préparer quelques légumes avec le restant de l'appareil.

PROVENÇALE DE RIS DE VEAU

ET AUBERGINE AU ROMARIN

Pour quatre personnes :

600 g (20 oz)	**ris de veau**
2	**aubergines**
45 ml (3 c. à soupe)	**huile d'olive**
120 g (4 oz)	**champignons**
1	**courgette**
3	**tomates**
2	**gousses d'ail**
6	**échalotes françaises**
2	**branches de romarin**
60 ml (4 c. à soupe)	**parmesan**
quantité suffisante	**sel et poivre blanc**

- Dénerver les ris de veau et les faire dégorger dans l'eau froide pendant 24 heures.
- Recouvrir les ris de veau d'eau froide, assaisonner et porter l'eau à ébullition.
- Diminuer le degré de chaleur (après l'ébullition, les ris de veau doivent être cuits tout doucement pendant 15 minutes).
- Sortir les ris de veau et les presser avec un poids entre 2 plaques.
- Lorsqu'ils seront tièdes, les dénerver et leur enlever les membranes ainsi que la pellicule qui les entourent.
- Couper ensuite les ris en gros dés ; réserver.
- Couper les aubergines en 2 dans le sens de la longueur, faire un quadrillage à l'aide d'un couteau et badigeonner légèrement d'huile d'olive.

- Mettre les aubergines au four à 200°C (400°F) pendant 40 minutes.
- Les retirer et les vider pendant qu'elles sont encore chaudes.
- Conserver la chair.
- Émincer les champignons, les courgettes, les tomates et l'ail.
- Dans une sauteuse, faire chauffer l'huile d'olive et y faire suer les échalotes; quand elles seront colorées, ajouter le romarin et les légumes émincés puis faire cuire cet appareil pendant 5 minutes.
- Y ajouter la chair des aubergines et les dés de ris de veau.
- Diviser l'appareil en 4 et farcir les peaux d'aubergines.
- Parsemer chaque aubergine de parmesan; mettre au four à 200°C (400°F) pendant 15 minutes.
- Servir aussitôt.

ROGNONS DE VEAU

À LA BIÈRE BLONDE ET AUX RABIOLES

Pour quatre personnes :

200 g (7 oz)	**rabioles (navets blancs)**
1	**bouteille de bière blonde**
200 ml (3/4 tasse)	**fond de veau (voir recette)**
30 ml (2 c. à soupe)	**sucre**
15 ml (1 c. à soupe)	**thym frais**
4	**rognons de veau dégraissés et dénervés**
60 ml (4 c. à soupe)	**beurre doux**
quantité suffisante	**sel et poivre noir**

- Éplucher les rabioles et les trancher en quartiers comme des pommes.
- Faire blanchir les rabioles à l'eau salée pendant 3 minutes et les laisser refroidir.
- Mettre dans une sauteuse la bière, le fond de veau, le sucre et le thym frais et amener à ébullition ; faire réduire du 2/3.
- Pendant ce temps, couper les rognons en tranches épaisses.
- À feu vif, poêler dans le beurre les rognons pendant 1 minute par côté et garder au chaud dans le four à 150°C (300°F).
- Mettre les rabioles dans la sauce et faire cuire pendant 2 minutes.
- Verser la sauce dans les assiettes et déposer les rognons par-dessus.

Une purée de pommes de terre et de céleri-rave accompagne très bien ce plat (voir recette).

CUISSOT DE COCHONNET DU QUÉBEC,

CRÉATION POUR LA CONFRÉRIE DES GROGNONS

Pour huit personnes :

300 g (10 oz)	**haricots coco**
1	**cuissot de cochonnet de 1,3 kg (3 lb)**
1	**bouquet garni**
6	**tomates**
3	**céleris en branches**
3	**carottes**
4	**oignons**
6	**gousses d'ail**
250 ml (1 tasse)	**lardon fumé**
2 l (8 tasses)	**fond de cochonnet**
60 ml (4 c. à soupe)	**origan frais**
500 ml (2 tasses)	**persil italien haché**
250 ml (1 tasse)	**fromage feta**
125 ml (1/2 tasse)	**huile d'olive**
quantité suffisante	**sel et poivre noir**

- La veille, faire tremper dans l'eau froide les haricots coco.
- Désosser le cuissot de cochonnet; garder les os et les parures pour le fond.
- Dans une casserole, mettre les os, le bouquet garni, 1 branche de céleri, 1 carotte, 1 oignon, le sel, le poivre et 3 l d'eau froide; porter à ébullition.

- Laisser réduire (il ne doit rester que 2 l de fond de cochonnet).
- Diviser le cuissot en 8 belles parties qui ressembleront à des mini-gigotins.
- Éplucher et laver les légumes ; prendre le reste de viande de cochonnet que l'on passera au hache-viande avec les céleris, les carottes, l'ail et les oignons.
- Dans une casserole, faire chauffer l'huile d'olive et faire suer les lardons, le cochonnet et les légumes hachés.
- Faire cuire cet appareil et y ajouter les tomates coupées en deux, l'origan, le fromage feta, le persil italien, le fond de cochonnet ; assaisonner de sel et de poivre.
- Quand cette sauce bouillonnera, ajouter les haricots.
- Mettre un couvercle sur la casserole et faire cuire au four à 180°C (350°F) pendant 75 minutes.
- Après la cuisson de cette sauce, assaisonner chaque morceau de cochonnet et les faire braiser dans une poêle avec le beurre.
- Terminer la cuisson des cuissots au four à 180°C (350°F) pendant 8 minutes.
- Sortir les cuissots du four, les déposer dans un plat, verser la sauce par-dessus et servir.

La sauce peut se préparer à l'avance. On n'a qu'à faire braiser les cuissots à la dernière minute.
On peut remplacer le fond de cochonnet par du vin rouge.
Ce plat s'accompagne de pommes de terre cuites vapeur.

FONDANT DE JARRETS DE PORC EN FEUILLETÉ

Pour quatre personnes :

1	carotte
3	oignons
4	jarrets de porc
2	clous de girofle
120 g (4 oz)	pâte feuilletée
1	jaune d'œuf
12	échalotes françaises
3	gousses d'ail
30 ml (2 c. à soupe)	beurre
5 ml (1 c. à thé)	paprika
5 ml (1 c. à thé)	sucre
200 ml (3/4 tasse)	vin rouge
30 ml (2 c. à soupe)	pâte de tomates
2 litres (8 tasses)	bouillon de légumes (voir recette)
quantité suffisante	sel et poivre blanc

- Nettoyer, éplucher et couper grossièrement les carottes et les oignons.
- Les déposer ensuite dans une cocotte avec les jarrets de porc assaisonnés de clous de girofle, de sel et poivre.
- Recouvrir d'eau. Mettre sur le feu et laisser frémir durant 90 minutes.
- Préchauffer le four à 200°C (400°F).
- Pendant ce temps, abaisser la pâte feuilletée à 5 mm d'épaisseur et tailler 4 carrés de 8 cm x 8 cm ou 3 po x 3 po.
- Déposer les carrés sur une plaque pouvant aller au four.
- Casser le jaune d'œuf dans un petit bol et y ajouter quelques gouttes d'eau; dorer chaque carré de feuilletage au pinceau.
- Enfourner les feuilletés de 15 à 20 minutes.
- Éplucher les échalotes françaises et l'ail; les hacher finement sans les réduire en purée puis conserver.
- Quand les jarrets sont cuits, les retirer du bouillon puis les laisser refroidir pendant 10 minutes environ.
- Faire fondre le beurre dans une sauteuse jusqu'à la coloration noisette puis ajouter les échalotes et l'ail; faire suer le tout.
- Ajouter le paprika, le sucre, le vin, la pâte de tomates et 150 ml de bouillon de cuisson.
- Désosser les jarrets en ne gardant que la viande; ajouter ceux-ci à la sauce.
- Couper les feuilletés en 2 dans le sens de l'épaisseur.
- Disposer les fonds de feuilleté dans chaque assiette, les napper de l'appareil et les recouvrir de l'autre moitié du feuilletage.

Plat du temps des fêtes.

CONFIT DE CUISSES DE CANARD

Pour six personnes :

30 ml (2 c. à soupe)	**coriandre en grains**
90 ml (6 c. à soupe)	**gros sel**
15 ml (1 c. à soupe)	**thym**
10 ml (2 c. à thé)	**ail en poudre**
6	**cuisses de canard**
1,8 kg (4 lb)	**gras de canard**

- Broyer la coriandre et l'ajouter au gros sel, au thym et à la poudre d'ail.
- Saupoudrer les cuisses de canard de cette préparation.
- Mettre les cuisses à mariner au réfrigérateur pendant 24 heures.
- Le lendemain, débarrasser les cuisses de leur surplus d'épices.
- Dans une casserole, faire fondre le gras de canard et faire pocher les cuisses pendant 75 minutes environ.
- Lorsque les cuisses sont complètement cuites, les retirer du gras et les égoutter sur une grille.
- Déposer ensuite les cuisses sur une plaque.
- Faire cuire les cuisses à gril pendant 7 minutes.
- La peau devra être croustillante et dorée.

Pour bien confire les cuisses, évitez que le gras de cuisson ne frémisse.
Pour savoir si les cuisses sont cuites, passer un couteau pointu au travers et s'il n'y a pas de résistance, elles sont cuites.
Servir les cuisses avec une salade, un plat de pâtes ou des légumes sautés au wok dans un peu d'huile de sésame rôti.

COUSCOUS DE CANARD

CONFIT, SAUCE AUX TOMATES ET POIVRONS AU BASILIC

Pour quatre personnes :

1	**oignon**
1	**carotte**
2	**gousses d'ail**
1	**branche de céleri**
1	**poivron rouge**
1	**courgette**
60 ml (4 c. à soupe)	**huile d'olive**
10 ml (2 c. à thé)	**safran**
5 ml (1 c. à thé)	**curcuma**
1	**bâton de cannelle**
5 ml (1 c. à thé)	**harissa**
500 ml (2 tasses)	**bouillon de volaille (voir recette)**
250 ml (1 tasse)	**couscous**
80 ml (1/3 tasse)	**basilic frais**
6	**cuisses de canard confites (voir recette)**
250 ml (1 tasse)	**sauce tomate et poivron au basilic (voir recette)**
quantité suffisante	**sel et poivre blanc**

- Éplucher l'oignon, la carotte et l'ail.
- Couper tous les légumes en mirepoix.
- Dans un chaudron, faire chauffer l'huile et faire suer tous les légumes.
- Ajouter le safran, le curcuma, la cannelle et l'harissa.

- Ajouter 2 cuisses de canard émincées.
- Assaisonner et faire cuire pendant 8 minutes environ.
- Mouiller les légumes du bouillon de volaille et laisser frémir (il faut que les légumes aient absorbé en bonne partie le liquide).
- Ajouter le couscous ; retirer du feu et couvrir.
- Remuer de temps en temps pour que le couscous absorbe le bouillon et cuise en même temps.
- Ajouter le basilic haché au couscous.
- Pendant ce temps, réchauffer les confits de canard au four à 200°C (400°F) pendant 8 minutes.
- Faire chauffer la sauce aux tomates et poivrons au basilic.
- Au centre de chaque assiette, déposer le couscous surmonté de la cuisse de canard confit et verser un peu de sauce de chaque côté du couscous.

La préparation du couscous peut très bien agrémenter un poisson.
Il peut aussi être servi comme salade froide.

MAGRET DE CANARD

ET CREVETTES À LA SAVEUR DU NOUVEAU MONDE

Pour quatre personnes :

1	**oignon**
4	**gousses d'ail**
60 ml (4 c. à soupe)	**beurre d'arachide**
80 ml (1/3 tasse)	**tamari**
30 ml (2 c. à soupe)	**gingembre haché**
2	**magrets de canard de 300 g (10 oz) chacun**
12	**crevettes**
quantité suffisante	**stoemp aux endives (voir recette)**
80 ml (1/3 tasse)	**huile de crevettes (voir recette)**
quantité suffisante	**sel et poivre noir**

- Éplucher et émincer très finement l'oignon et l'ail.
- Dans un cul-de-poule, mélanger le beurre d'arachide, la tamari, le gingembre, l'oignon et l'ail. (Cet appareil devra avoir une masse homogène.)
- Enlever un peu de gras à chaque magret et les couper en 2.
- Mettre les magrets dans la marinade et bien les mélanger ; les laisser reposer pendant 24 heures.
- Enlever les carcasses des crevettes, les déveiner puis les ajouter au magret.
- Le lendemain, faire griller de chaque côté les magrets pendant 2 minutes et terminer la cuisson au four à 200°C (400°F) pendant 8 minutes.
- Durant ce temps, faire griller les crevettes de chaque côté pendant 1 minute.

- Faire chauffer le stoemp aux endives et garnir le centre des assiettes de celui-ci surmonté de 3 crevettes et des magrets de canard.
- Napper les magrets d'huile de crevettes.

Lorsque vous allez faire griller les magrets, il est important qu'ils soient enrobés généreusement de marinade. La marinade doit brûler et noircir (voilà qui est parfait puisque c'est ce goût-là qu'on doit absolument retrouver pour respecter la recette).
On peut garder cette recette de marinade en référence pour d'autres préparations comme pour le porc, le veau, la volaille.

COURONNE DE CAILLES

ET SON CASSOULET DE HARICOTS NOIRS AU PORTO

Pour quatre personnes :

8	**cailles**
60 ml (4 c. à soupe)	**huile d'olive**
2	**oignons**
5 ml (1 c. à thé)	**thym frais**
2	**feuilles de laurier**
2 l (8 tasses)	**eau**
4	**feuilles de pâte filo**
100 g (3 1/2 oz)	**beurre doux**
125 ml (1/2 tasse)	**haricots noirs**
4	**échalotes françaises**
60 g (2 oz)	**bacon**
2	**gousses d'ail**
1	**tomate**
125 ml (1/2 tasse)	**porto**
125 ml (1/2 tasse)	**fond de caille**
5 ml (1 c. à thé)	**cumin moulu**
1/2	**botte de coriandre**
quantité suffisante	**sel et poivre noir**

- Assaisonner les cailles de sel et de poivre; les déposer sur une plaque allant au four.
- Faire cuire les cailles à 200°C (400°F) pendant 9 minutes.
- Après la cuisson, désosser les cailles et conserver les suprêmes et les cuisses.
- Faire suer les carcasses à l'huile d'olive avec les oignons; y ajouter le thym, le laurier et assaisonner de sel et de poivre; recouvrir de 2 litres d'eau.

- Réduire le fond pour qu'il ne reste que 125 ml.
  (Celui-ci servira à la confection de la sauce.)
- Filtrer le fond de caille et réserver.
- Enfiler 3 suprêmes de caille sur une brochette de bois ;
  l'autre suprême ira dans le cassoulet.
- Réserver les cuisses.
- Pour la confection de la couronne, étaler les feuilles de pâte filo sur une table
  et badigeonner chaque feuille de beurre fondu.
- Plier celle-ci en 4 dans le sens de la longueur ; les enrouler ensuite autour d'un cercle.
- Faire cuire les couronnes au four, à 180°C (350°F) de 8 à 12 minutes.
- Pendant ce temps, faire cuire les haricots secs dans 4 tasses d'eau pendant 80 minutes ;
  les égoutter après la cuisson (les haricots doivent être tendres).
- Émincer les échalotes, le bacon, l'ail et la tomate.
- Faire revenir ces légumes avec un peu d'huile d'olive. Lorsqu'ils seront légèrement
  colorés, y ajouter le porto, le fond de caille, la poudre de cumin
  et laisser réduire de moitié.
- Y ajouter ensuite les haricots, la coriandre lavée et hachée puis laisser mijoter
  doucement pendant 5 minutes.
- Durant ce temps, faire griller légèrement les brochettes de caille.
- Déposer au centre de chaque assiette la couronne de pâte filo puis le suprême de caille
  et remplir la couronne de cassoulet.
- Décorer chaque couronne de 4 cuisses.
- Déposer la brochette sur la couronne.
- Garnir de brins de coriandre fraîche.

LOMBES D'OIE FUMÉES,
CAKE AU MAÏS ET JALAPEÑO À L'INFUSION DE CABERNET SAUVIGNON ET WASABI

Pour six personnes :

20	feuilles de laurier
10	branches de romarin
40	baies de genièvre
250 ml (1 tasse)	mesquite pour fumer
60 ml (4 c. à soupe)	huile d'olive
5 ml (1 c. à thé)	épices cajun
5 ml (1 c. à thé)	coriandre moulue
5 ml (1 c. à thé)	cumin moulu
2	oies
5 ml (1 c. à thé)	noix de muscade
5 ml (1 c. à thé)	origan
5 ml (1 c. à thé)	thym
15 ml (1 c. à soupe)	sel
5 ml (1 c. à thé)	poivre noir
6	tranches de cake de maïs (voir recette)
250 ml (1 tasse)	sauce cabernet (voir recette)
30 ml (2 c. à soupe)	sauce wasabi (voir recette)

PHOTO : JEAN-FRANÇOIS PRIEUR

- Pour cette recette, il faut se munir d'un fumoir ou faire cuire l'oie au four à basse température.
- Dans le récipient du fumoir, mettre 5 litres d'eau avec le laurier, le romarin et les baies de genièvre.
- Mettre dans le fond du fumoir le mesquite.
- Dans un bol, mélanger l'huile d'olive avec les épices cajun, la coriandre, le cumin, la noix de muscade, l'origan, le thym, le sel et le poivre.
- Badigeonner l'oie de ce mélange.
- Déposer l'oie sur la grille du fumoir au-dessus du bol d'eau.
- Faire fumer l'oie au mesquite durant 4 heures.
- Après la cuisson, retirer l'oie et découper les lombes en 6 portions.
- Disposer au centre des assiettes le cake de maïs légèrement chauffé.
- Surmonter celui-ci des lombes d'oie.
- Faire chauffer la sauce cabernet et en napper les lombes.
- Ajouter la sauce wasabi.

WATERZOOÏE DE PINTADES

ET MOULES AUX PRIMEURS

Pour quatre personnes :

4	**poireaux**
2	**carottes**
1	**branche de céleri**
2	**pintades (petites)**
1,5 l (6 tasses)	**bouillon de volaille (voir recette)**
2	**oignons**
2	**gousses d'ail**
1	**clous de girofle**
5 ml (1 c. à thé)	**thym frais**
2	**feuilles de laurier**
450 g (1 lb)	**moules**
60 ml (4 c. à soupe)	**crème 35 %**
4	**jaunes d'œufs**
quantité suffisante	**brins de cerfeuil**
quantité suffisante	**sel et poivre blanc**

- Couper en julienne les poireaux, les carottes et le céleri.
- Les laver à grande eau et réserver.
- Faire blanchir les pintades à l'eau bouillante légèrement salée pendant 4 minutes.
- Retirer les pintades de l'eau et les égoutter.
- Mettre les pintades dans un chaudron avec le bouillon de volaille, l'oignon, l'ail, les clous de girofle, le thym et le laurier.
- Amener à ébullition et laisser frémir pendant 15 minutes.

- Retirer les pintades du bouillon et les désosser.
- Plonger ensuite la julienne de légumes dans le bouillon pendant 3 minutes.
- Retirer la julienne et conserver au chaud.
- Laver les moules et les faire cuire dans le bouillon pendant 5 minutes environ.
- Déposer dans chaque assiette creuse un peu de julienne, une demie pintade, les moules et ajouter la julienne restante sur les pintades.
- Pendant ce temps, prendre 1/2 litre (2 tasses) de bouillon et y ajouter la crème 35 % ; faire bouillir pendant 3 minutes.
- Réduire le degré de chaleur et lier le bouillon avec les jaunes d'œufs.
- Le bouillon ne doit plus bouillir lorsqu'on le lie aux jaunes d'œufs.
- Retirer du feu et rectifier l'assaisonnement.
- Napper les pintades et les moules de la sauce.
- Garnir le plat de brins de cerfeuil.

On peut accompagner ce plat de pommes de terre vapeur, de riz ou encore de spätzle.
Le mot « waterzooïe » est d'origine belge : « water » eau et « zooïe » bouillir.
Ce plat ressemble étrangement à un pot-au-feu.

LES METS VÉGÉTARIENS

Couscous de légumes parfumé de safran
Feuilles de vigne au quinoa et au tofu
Gratin de christofines et fenouil à la chapelure de couscous
Minestrone au seitan et à l'orge perlé
Pâtes de sarrasin d'ici et d'ailleurs
Risotto aux pleurotes garni d'algues hisiki
Rouleaux de chou chinois au seitan et pignons de pin
Rouleaux du printemps aux primeurs

COUSCOUS DE LÉGUMES PARFUMÉ DE SAFRAN

Pour six personnes :

1	navet
3	carottes
2	oignons
2	branches de céleri
2	rabioles (navets blancs)
3	courgettes
4	gousses d'ail
1	poivron rouge
2	tomates
60 ml (4 c. à soupe)	huile d'olive
3	feuilles de laurier
5 ml (1 c. à thé)	thym frais
10 ml (2 c. à thé)	safran
60 ml (4 c. à soupe)	raisins blonds
quantité suffisante	eau
1	bâton de cannelle
500 ml (2 tasses)	couscous (grains moyens)
quantité suffisante	sel et poivre

- Éplucher et couper grossièrement le navet, les carottes, les oignons, le céleri, les rabioles, les courgettes et l'ail.
- Laver et couper le poivron rouge et les tomates.
- Dans une casserole, faire chauffer l'huile d'olive à feu vif.
- Faire suer tous les légumes pendant quelques minutes ou jusqu'à une légère coloration ; assaisonner de sel et de poivre.
- Ajouter tous les autres ingrédients.
- Verser de l'eau froide jusqu'à la hauteur des légumes.
- Laisser mijoter à couvert pendant 35 minutes.
- Mettre le couscous dans un cul-de-poule.
- Verser 125 ml (1/2 tasse) de bouillon de légumes sur le couscous et le laisser gonfler pendant 3 minutes.
- Répéter cette opération 3 fois.
- Dans chaque assiette creuse, déposer un lit de couscous et ajouter par-dessus les légumes avec un peu de jus.

S'il vous reste du bouillon et des légumes, les passer au passe-légumes et vous obtiendrez une soupe. (Ne pas oublier d'enlever le bâton de cannelle).
S'il vous reste du couscous, l'ajouter à une salade.

FEUILLES DE VIGNE

AUX QUINOA ET TOFU

Pour six personnes :

48	**feuilles de vigne en saumure**
2	**oignons**
4	**gousses d'ail**
250 ml (1 tasse)	**quinoa**
125 ml (1/2 tasse)	**huile d'olive**
250 ml (1 tasse)	**tofu ferme**
60 ml (4 c. à soupe)	**origan frais**
60 ml (4 c. à soupe)	**beurre doux**
1	**œuf**
2	**citrons**
quantité suffisante	**sel et poivre**
quantité suffisante	**eau**

- Rincer à l'eau froide les feuilles de vigne.
- Éplucher et émincer les oignons et l'ail.
- Faire bouillir 2 l d'eau légèrement salée et faire cuire les quinoa pendant 15 minutes.
- Les retirer et les égoutter à l'aide d'une passoire.
- Dans une casserole, faire chauffer 60 ml (4 c. à soupe) d'huile d'olive et faire suer les oignons et l'ail pendant quelques minutes puis assaisonner de sel et poivre.
- Ajouter le tofu, 30 ml (2 c. à soupe d'origan) et le quinoa égoutté.
- Mélanger le tout pendant quelques minutes pour obtenir un appareil homogène.
- Retirer l'appareil du feu et laisser refroidir.

- Étaler les feuilles de vigne sur une planche à découper et couper la queue des feuilles.
- Déposer au centre de chaque feuille l'équivalent de 1 c. à soupe de quinoa.
- Former de petits paquets avec chaque feuille de vigne.
- Beurrer le fond d'une casserole allant au four et déposer les feuilles de vigne bien serrées les unes contre les autres.
- Ajouter un peu d'eau (à mi-hauteur des feuilles de vigne) et recouvrir d'un papier d'aluminium.
- Mettre le plat au four à 150°C (300°F) durant 45 minutes.
- Dans un cul-de-poule, casser l'œuf et ajouter le jus des deux citrons, le reste de coriandre hachée, l'huile d'olive, le sel et le poivre ; bien mélanger le tout et garder au frais.

Quand les feuilles de vigne seront cuites, les déguster chaudes ou froides avec la sauce au citron.

GRATIN DE CHRISTOFINES

ET FENOUIL À LA CHAPELURE DE COUSCOUS

Pour quatre personnes :

2	**gousses d'ail**
30 ml (2 c. à soupe)	**échalotes françaises**
30 ml (2 c. à soupe)	**beurre doux**
1	**branche de romarin**
2	**christofines**
2	**bulbes de fenouil**
20	**olives noires**
250 ml (1 tasse)	**sauce tomate**
125 ml (1/2 tasse)	**jus d'orange**
250 ml (1 tasse)	**couscous**
125 ml (1/2 tasse)	**parmesan râpé**
quantité suffisante	**sel et poivre blanc**

- Éplucher et hacher l'ail et les échalotes.
- Beurrer le fond d'un plat à gratin et y déposer l'ail, les échalotes et les épines de la branche de romarin.
- Laver et couper en quatre les christofines et les bulbes de fenouil puis les déposer dans le plat.
- Ajouter les olives dénoyautées et coupées en deux.
- Assaisonner de sel et de poivre.
- Verser la sauce tomate sur les légumes.

- Dans une casserole, faire chauffer le jus d'orange et le verser en deux fois sur le couscous.
- Quand le couscous aura absorbé le jus d'orange, le frotter entre les mains pour qu'il se défasse.
- Saupoudrer les légumes de ce couscous.
- Mettre le plat au four à 180°C (350°F) pendant 35 minutes.
- Juste avant de servir le gratin, ajouter un peu de parmesan.

Après 35 minutes de cuisson, il se peut que les légumes soient encore un peu croquants. Vous pouvez continuer la cuisson sans problème selon votre goût.

MINESTRONE AU SEITAN

ET À L'ORGE PERLÉ

Pour six personnes :

2	**branches de céleri**
4	**carottes**
1	**oignon**
2	**poireaux**
1	**bulbe de fenouil**
250 ml (1 tasse)	**chou-fleur**
2	**tomates**
45 ml (3 c. à soupe)	**huile d'olive**
250 ml (1 tasse)	**seitan***
125 ml (1/2 tasse)	**haricots blancs frais**
125 ml (1/2 tasse)	**pois verts**
1.5 l (6 tasses)	**bouillon de légumes (voir recette)**
60 ml (4 c. à soupe)	**persil haché**
30 ml (2 c. à soupe)	**origan frais**
quantité suffisante	**sel et poivre blanc**

- Éplucher et couper en brunoise les branches de céleri, les carottes, l'oignon, les poireaux, le fenouil, le chou-fleur et les tomates.
- Dans une casserole, faire chauffer l'huile d'olive et faire suer pendant 5 minutes tous les légumes assaisonnés de sel et de poivre.
- Couper le seitan en petits dés et l'ajouter aux légumes.
- Ajouter ensuite les haricots frais et les pois verts.
- Mouiller avec le bouillon de légumes et laisser mijoter le minestrone pendant 30 minutes.
- Laver et hacher le persil et l'origan.
- Saupoudrer le minestrone de ses herbes au moment de servir.

* *On peut se procurer du seitan dans les boutiques d'alimentation naturelle.*

PÂTES DE SARRASIN
D'ICI ET D'AILLEURS

Pour quatre personnes :

200 g (7 oz)	pâtes de sarrasin
2	poivrons rouges
1	courgette
1	poireau
120 g (4 oz)	épinards
120 g (4 oz	tempeh*
60 ml (4 c. à soupe)	huile d'olive
30 ml (2 c. à soupe)	sauce aux huîtres
60 ml (4 c. à soupe)	bouillon de légumes
5 ml (1 c. à thé)	sauce ail et chili
quantité suffisante	sel et poivre blanc

- Dans une casserole, faire bouillir de l'eau légèrement salée puis faire cuire les pâtes de sarrasin le temps nécessaire.
- Laver les poivrons, la courgette, le poireau et les épinards.
- Couper en biseau les légumes sauf les épinards.
- Couper le tempeh en petits cubes.
- Dans un wok, faire chauffer l'huile et y faire sauter le tempeh, les poivrons rouges, la courgette, le poireau et assaisonner de sel et de poivre (les légumes doivent être légèrement colorés).
- Ajouter la sauce aux huîtres, le bouillon de légumes et la sauce ail et chili.
- Faire réduire la sauce pendant quelques instants et y ajouter les pâtes de sarrasin puis les épinards à la toute fin (les épinards doivent rester mi-cuits).
- Servir aussitôt.

* *On peut se procurer le tempeh dans des boutiques d'alimentation naturelle. Il en existe plusieurs saveurs.*

RISOTTO AUX PLEUROTES

GARNI D'ALGUES HIJIKI

Pour six personnes :

1,5 l (6 tasses)	**bouillon de légumes (voir recette)**
60 ml (4 c. à soupe)	**algues hijiki**
60 ml (4 c. à soupe)	**beurre doux**
60 ml (4 c. à soupe)	**échalotes françaises**
4	**gousses d'ail**
375 ml (1 1/2 tasse)	**riz (Arborio)**
500 ml (2 tasses)	**pleurotes**
30 ml (2 c. à soupe)	**huile d'olive**
250 ml (1 tasse)	**parmesan râpé**
60 ml (4 c. à soupe)	**persil italien**
quantité suffisante	**sel et poivre**

- Faire chauffer le bouillon de légumes.
- Mettre les algues hijiki dans un peu d'eau froide pour qu'elles gonflent.
- Éplucher et hacher les échalotes et l'ail.
- Dans une casserole, faire chauffer le beurre et faire suer les échalotes et l'ail puis assaisonner de sel et poivre.
- Ajouter le riz et mélanger le tout.
- Ajouter progressivement le bouillon de légumes jusqu'à ce que le riz ait tout absorbé (il faut que le riz ait tout absorbé le bouillon mais sans pour autant être trop cuit).
- Durant ce temps, émincer les pleurotes; dans une poêle, faire chauffer l'huile d'olive et faire sauter les pleurotes assaisonnés de sel et de poivre.
- Ajouter les pleurotes au risotto et incorporer le parmesan et le persil haché.
- Bien mélanger le risotto et garnir chaque assiette de celui-ci; rectifier l'assaisonnement au besoin.
- Presser l'eau des hijiki et les déposer par-dessus le risotto.

MABE
MABE

ROULEAUX DE CHOU CHINOIS

AU SEITAN ET PIGNONS DE PIN

Pour quatre personnes :

125 ml (1/2 tasse)	**riz**
12	**feuilles de chou chinois**
1	**carotte**
1	**oignon**
2	**gousses d'ail**
1	**branche de céleri**
250 ml (1 tasse)	**seitan**
30 ml (2 c. à soupe)	**sauce tamari**
45 ml (3 c. à soupe)	**huile d'olive**
125 ml (1/2 tasse)	**pignons de pin**
125 ml (1/2 tasse)	**persil haché**
125 ml (1/2 tasse)	**chapelure de pain**
quantité suffisante	**sel et poivre blanc**

- Faire cuire le riz dans 250 ml (1 tasse) d'eau légèrement salée.
- Quand le riz sera cuit, le laisser refroidir pour la farce.
- Dans une casserole, faire bouillir de l'eau légèrement salée et faire pocher les feuilles de chou chinois pendant 30 secondes puis les refroidir à l'eau froide.
- Éplucher et couper la carotte, l'oignon et les gousses d'ail.
- Laver la branche de céleri.

- Passer au hache-viande le seitan, le céleri, la carotte, l'oignon, l'ail, le riz et la sauce tamari.
- Dans une sauteuse, faire chauffer l'huile d'olive et faire suer l'appareil haché jusqu'à l'évaporation du liquide déjà assaisonné de sel et de poivre.
- Ajouter à la fin de cette opération les pignons de pin, le persil haché et la chapelure de pain.
- Laisser cuire encore pendant quelques minutes pour sécher l'appareil.
- Étaler les feuilles de chou sur une table et diviser l'appareil dans celles-ci.
- Les rouler et les déposer dans un plat légèrement huilé allant au four.
- Il faut que les rouleaux soient collés les uns contre les autres.
- Mettre le plat au four à 180°C (350°F) pendant 35 minutes.

On peut faire cuire le riz la veille pour qu'il soit froid.

ROULEAUX DU PRINTEMPS
AUX PRIMEURS

Pour six personnes :

100 g (3 oz)	vermicelles de riz
2	carottes
1	concombre
200 g (7 oz)	tofu ferme
12	échalotes vertes
12	feuilles de riz (24 cm de diamètre)
60 ml (4 c. à soupe)	coriandre hachée
30 ml (2 c. à soupe)	sauce hoi sin
30 ml (2 c. à soupe)	sauce tamari
15 ml (1 c. à soupe)	vinaigre de riz
45 ml (3 c. à soupe)	huile d'olive
30 ml (2 c. a soupe)	arachides broyées
quantité suffisante	sel et poivre blanc

- Dans une casserole, faire bouillir de l'eau légèrement salée et faire cuire les vermicelles de riz pendant 4 minutes.
- Les rafraîchir à l'eau froide et les égoutter puis réserver.
- Éplucher et couper en longs bâtonnets les carottes, le concombre et le tofu.
- Laver les échalotes et les couper en deux dans le sens de la longueur.
- Prendre un bol d'eau tiède et y plonger les feuilles de riz une à une pour qu'elles ramollissent (retirez-les de l'eau lorsqu'elles sont molles).
- Déposer au centre de celles-ci un bâtonnet de carotte, de concombre, de tofu, de coriandre hachée et des vermicelles de riz.

- Assaisonner le tout de sel et de poivre.
- Former de petits rouleaux de la grosseur de gros cigares.
- Laisser sécher au réfrigérateur et faire la sauce entre-temps.
- Dans un cul-de-poule, mélanger la sauce hoi sin, la sauce tamari, le vinaigre de riz, l'huile d'olive et les arachides broyées.
- Tremper les rouleaux dans cette sauce comme accompagnement lors du service.

C'est une entrée facile à faire. On peut également remplacer le tofu par du seitan ou encore on peut ne mettre que des légumes.

LES LÉGUMES

Compote de chou rouge et vinaigre balsamique
Gratin de tomates, fromage de chèvre et d'olives
Julienne de pois mange-tout et pâtes soba
Mixte de légumes aux parfums exotiques
Méli-mélo de lentilles du Puy, peperrini et tomates séchées
Purée de pommes de terre et céleri-rave au cumin grillé et poireau
Poêlée de fonds d'artichauts et courgette à l'ail doux
Stoemp aux endives

COMPOTE DE CHOU ROUGE ET VINAIGRE BALSAMIQUE

Pour six personnes :

700 g (1 1/2 lbs)	**chou rouge**
45 ml (3 c. à soupe)	**graisse de canard**
125 ml (1/2 tasse)	**cassonade**
125 ml (1/2 tasse)	**vinaigre balsamique**
125 ml (1/2 tasse)	**vin rouge**
30 ml (2 c. à soupe)	**gingembre haché**
quantité suffisante	**sel et poivre blanc**

- Émincer le chou à la mandoline le plus finement possible.
- Dans une casserole, faire chauffer la graisse de canard puis faire suer le chou rouge pendant 7 minutes.
- Ajouter la cassonade, le vinaigre balsamique et le vin.
- Assaisonner de sel et de poivre; laisser cuire doucement à l'étouffée pendant 1 heure. (Le chou doit être complètement cuit et moëlleux.)
- À la fin de la cuisson, ajouter le gingembre*.

* *On doit ajouter le gingembre à la toute fin de la préparation pour que celui-ci aromatise le plus possible le chou, mais sans excès.*

On peut consommer cette compote de chou avec des charcuteries ou des terrines.

GRATIN DE TOMATES,

FROMAGE DE CHÈVRE ET D'OLIVES

Pour six personnes :

2	**oignons**
15 ml (1 c. à soupe)	**ail haché**
3	**tomates**
75 ml (5 c. à soupe)	**olives noires**
30 ml (2 c. à soupe)	**huile d'olive**
30 ml (2 c. à soupe)	**beurre doux**
75 ml (5 c. à soupe)	**fromage de chèvre**
30 ml (2 c. à soupe)	**origan frais**
60 ml (4 c. à soupe)	**chapelure**
quantité suffisante	**sel et poivre noir**

- Éplucher l'oignon, l'ail et les émincer.
- Émonder les tomates.
- Dénoyauter les olives et les hacher finement.
- Faire chauffer l'huile d'olive et faire suer les oignons et l'ail jusqu'à une belle coloration puis ajouter les olives et faire cuire pendant 2 minutes.
- Trancher chaque tomate en 10 tranches.
- Prendre un plat et badigeonner l'intérieur de beurre.
- Y étaler les 10 tranches de la première tomate.
- Assaisonner de sel et poivre et étendre une couche d'oignons et d'olives.
- Remettre une autre couche composée encore de 10 tranches de tomates, assaisonner et étendre le fromage de chèvre ainsi que le restant d'appareil d'oignons et d'olives.
- Saupoudrer d'origan frais et de chapelure.
- Mettre le plat au four à 150°C (300°F) durant 45 minutes.

JULIENNE DE POIS MANGE-TOUT

ET PÂTES SOBA

Pour quatre personnes :

500 ml (2 tasses)	**pois mange-tout**
120 g (4 oz)	**poireau**
120 g (4 oz)	**pâtes soba**
60 ml (4 c. à soupe)	**huile d'olive**
15 ml (1 c. à soupe)	**beurre**
10 ml (2 c. à thé)	**huile de sésame rôti**
15 ml (1 c. à soupe)	**thym frais**
quantité suffisante	**sel et poivre blanc**

- Couper en julienne les pois mange-tout et le poireau.
- Faire cuire les pâtes soba à l'eau bouillante avec du sel ou encore dans un bouillon de volaille.
- Rafraîchir les pâtes et réserver.
- Dans une sauteuse, faire chauffer l'huile d'olive et le beurre puis faire suer les pois mange-tout et le poireau ; assaisonner.
- Après 3 minutes de cuisson, ajouter les pâtes soba, l'huile de sésame rôti et le thym.
- Servir en accompagnement avec les poissons.

MIXTE DE LÉGUMES
AUX PARFUMS EXOTIQUES

Pour six personnes :

1	**oignon**
1	**christofine**
1	**jicama**
4	**gousses d'ail**
1	**aubergine (petite)**
1	**poivron rouge**
1	**poivron jaune**
1	**branche de citronnelle**
60 ml (4 c. à soupe)	**huile d'olive**
4	**tomates**
1	**jalapeño**
60 ml (4 c. à soupe)	**vinaigre de xérès**
60 ml (4 c. à soupe)	**origan**
quantité suffisante	**sel et poivre noir**

- Éplucher l'oignon, la chayote, le jicama et les gousses d'ail.
- Émonder les tomates.
- Laver l'aubergine et les poivrons.
- Émincer très finement la citronnelle.
- Couper les légumes en mirepoix.
- Dans une sauteuse, faire chauffer l'huile d'olive puis faire suer les légumes dans l'ordre : l'oignon, la citronnelle, les poivrons rouge et jaune, l'ail, l'aubergine, le jicama et la chayote.
- Assaisonner (ne pas oublier que le jalapeño est très fort et peut changer le goût du mixte de légumes.)
- Faire cuire les légumes à feu vif durant six minutes.
- Diminuer le degré de chaleur puis y ajouter les tomates, le jalapeño, le vinaigre de xérès et l'origan.
- Faire cuire encore pendant six minutes (il faut que les légumes restent croquants).
- Laisser refroidir dans le chaudron.
- Conserver ensuite au réfrigérateur.

MÉLI-MÉLO DE LENTILLES
DU PUY, PEPERRINI ET TOMATES SÉCHÉES

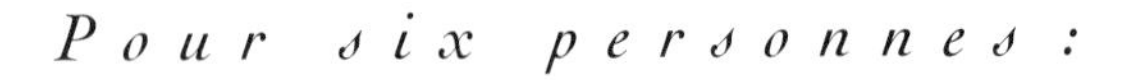
Pour six personnes :

50 g (1 3/4 oz)	**carotte**
50 g (1 3/4 oz)	**oignon**
60 ml (4 c. à soupe)	**huile d'olive**
15 ml (1 c. à soupe)	**beurre**
120 g (4 oz)	**lentilles du Puy**
30 g (1 oz)	**tomates séchées**
15 ml (1 c. à soupe)	**fleur d'ail**
500 ml (2 tasses)	**bouillon de volaille**
120 g (4 oz)	**peperrini**
15 ml (1 c. à soupe)	**origan frais**
60 ml (4 c. à soupe)	**parmesan râpé**
quantité suffisante	**sel et poivre blanc**

- Laver et éplucher la carotte et l'oignon.
- Hacher ces légumes finement au robot culinaire.
- Dans un chaudron, faire chauffer l'huile et le beurre puis faire suer l'oignon et la carotte hachés pendant quelques instants.
- Ajouter les lentilles du Puy, les tomates séchées et la fleur d'ail ; assaisonner de sel et de poivre et mouiller du bouillon de volaille.
- Faire cuire les lentilles à petit feu durant 35 minutes.
- Durant ce temps, faire cuire les peperrini à l'eau salée.
- Égoutter les peperrini et réserver.
- Lorsque les lentilles seront cuites, ajouter l'origan, les peperrini et le parmesan râpé.
- Mélanger le tout et rectifier l'assaisonnement au besoin.

On peut servir ce plat avec des poissons, des viandes ou du gibier.

PURÉE DE POMMES DE TERRE
ET CÉLERI-RAVE AU CUMIN GRILLÉ ET POIREAU

Pour six personnes :

450 g (1 lb)	**pommes de terre (Idaho)**
1	**céleri-rave (petit)**
1	**poireau**
80 ml (1/3 tasse)	**crème 35 %**
60 ml (4 c. à soupe)	**beurre doux**
30 ml (2 c. à soupe)	**graines de cumin**
quantité suffisante	**sel et poivre blanc**

- Éplucher les pommes de terre et le céleri-rave.
- Couper ceux-ci en mirepoix.
- Laver et couper le poireau en julienne.
- Faire griller à la poêle les graines de cumin (pour qu'elles donnent plus de saveur au plat).
- Dans un chaudron, mettre les pommes de terre, le céleri-rave et la crème puis recouvrir d'un peu d'eau froide ; assaisonner de sel, de poivre blanc et de cumin.
- Porter à ébullition et faire cuire pendant 20 minutes.
- Égoutter ensuite cet appareil et garder le bouillon de cuisson à couvert.
- Passer les pommes de terre au presse-purée ; ajouter le poireau cru en julienne et le beurre.
- Si la purée est trop sèche, ajouter du bouillon de cuisson.

POÊLÉE DE FONDS D'ARTICHAUTS
ET COURGETTE À L'AIL DOUX

Pour quatre personnes :

250 ml (1 tasse)	**fonds d'artichauts**
1	**courgette**
1	**oignon**
125 ml (1/2 tasse)	**persil italien**
45 ml (3 c. à soupe)	**huile d'olive**
30 ml (2 c. à soupe)	**Pastis, Ricard ou Pernod**
15 ml (1 c .à soupe)	**fleurs d'ail**
60 ml (4 c. à soupe)	**crème 35 %**
30 ml (2 c. à soupe)	**graines de sésame**
quantité suffisante	**sel et poivre blanc**

- Émincer les fonds d'artichauts, la courgette et l'oignon.
- Laver et hacher le persil italien.
- Dans une sauteuse, faire chauffer l'huile d'olive; assaisonner et faire suer les légumes pendant 7 minutes (les légumes doivent être cuits mais croquants).
- Déglacer avec le Pastis puis ajouter la fleur d'ail et la crème 35 %.
- Faire cuire jusqu'à l'absorption complète de la crème.
- Ajouter à l'appareil le persil haché et les graines de sésame.

Vous pouvez servir cette poêlée avec un plat de poisson ou encore la servir froide comme salade d'accompagnement.

STOEMP AUX ENDIVES

Pour quatre personnes :

750 ml (3 tasses)	**pommes de terre (Idaho)**
1	**oignon**
6	**endives**
45 ml (3 c. à soupe)	**beurre doux**
750 ml (3 tasses)	**bouillon de volaille (voir recette)**
5 ml (1 c. à thé)	**noix de muscade**
60 ml (4 c. à soupe)	**crème 35 %**
quantité suffisante	**sel et poivre blanc**

- Éplucher et couper les pommes de terre et l'oignon.
- Enlever le cœur des endives et les émincer très finement.
- Dans une casserole, faire chauffer 1 c. à soupe de beurre et faire suer les endives jusqu'à l'évaporation du liquide.
- Y ajouter les pommes de terre, l'oignon et mouiller du fond de volaille assaisonné de sel et poivre.
- Laisser mijoter pendant 35 minutes.
- Filtrer les pommes de terre et garder le jus de cuisson.
- Passer au passe-légumes le stoemp puis y ajouter le beurre, la crème légèrement tiédie et la noix de muscade.
- Bien mélanger le tout et assaisonner au besoin.
- On peut rajouter du bouillon de volaille si le stoemp vous semble trop sec.

Le stoemp est un plat typiquement belge. On peut le préparer avec n'importe quels légumes de saison.

LES FROMAGES

Club sandwich de fromages à la gelée de sauternes
Croustillant aux trois fromages et soupçon de miel
Crottin de Chavignol en cassolette au chou de Savoie et oignons, sauce cabernet
Roquefort et sa salade d'asperges, quelques feuilles du jardin, vinaigrette porto
St-Maure à la fragrance de sésame et pavot
Stilton et poire tiède aux raisins blonds
Soupière de fromages à l'huile de graines de citrouille
Toast de cramique au beurre d'huîtres et fromage brie

CLUB-SANDWICH
DE FROMAGES À LA GELÉE DE SAUTERNES

Pour quatre personnes :

8	**tranches de pain de blé entier**
60 ml (4 c. à soupe)	**beurre de portabella (voir recette)**
16	**tranches de jambon d'oie (voir recette)**
8	**tranches de St-Maure**
8	**tranches de tomate**
8	**tranches de carré de l'Est**
4	**bouquets de pousses de pois**
8	**tranches de roquefort**
30 ml (2 c. à soupe)	**gelée de sauternes**
30 ml (2 c. à soupe)	**bouillon de volaille (voir recette)**
q.s	**sel et poivre noir**

- Griller les tranches de pain.
- Étaler le beurre de portabella sur chaque tranche et les couper ensuite en 4 carrés.
- Déposer sur le premier carré de pain 2 fines tranches de jambon d'oie et de St-Maure.
- Déposer sur le deuxième carré 1 tranche de tomate et le carré de l'Est.
- Ne déposer sur le troisième carré qu'un bouquet de pousses de pois et de roquefort.
- Assembler le tout comme un club-sandwich en terminant par un carré de pain.
- Retenir les petits club-sandwichs avec des brochettes de bois.
- Recommencer cette opération 7 fois.
- Déposer harmonieusement les 2 demi-club-sandwichs par assiette.
- Faire chauffer dans une sauteuse la gelée de sauternes et le bouillon de volaille.
- Napper le club-sandwich de la sauce et garnir d'herbages.

CROUSTILLANT AUX TROIS FROMAGES

ET SOUPÇON DE MIEL

Pour quatre personnes :

8	**feuilles de pâte filo**
30 ml (2 c. à soupe)	**beurre salé**
120 g (4 oz)	**brie**
120 g (4 oz)	**roquefort**
100 g (3 1/2 oz)	**coulommiers**
20 ml (4 c. à thé)	**miel**

- Faire fondre le beurre légèrement.
- Étaler les feuilles de pâte filo et les badigeonner de beurre.
- Coller 2 feuilles ensemble et en faire une boule.
- Refaire l'opération avec les autres feuilles.
- Laisser sécher les boules à la température de la pièce pendant 60 minutes.
- Préchauffer le four à 180°C (350°F).
- Couper chaque fromage en 4 parties égales et en mettre un morceau sur chaque croustillant.
- Napper chaque croustillant d'une cuillère à thé de miel.
- Mettre les croustillants au four le temps que les fromages fondent légèrement.
- Servir immédiatement.

CROTTIN DE CHAVIGNOL

EN CASSOLETTE AU CHOU DE SAVOIE ET OIGNONS, SAUCE CABERNET

Pour quatre personnes :

500 ml (2 tasses)	**chou de Savoie**
15 ml (1 c. à soupe)	**beurre doux**
2	**tranches de bacon salé**
125 ml (1/2 tasse)	**bouillon de volaille (voir recette)**
250 ml (1 tasse)	**oignons**
30 ml (2 c. à soupe)	**huile d'olive**
250 ml (1 tasse)	**sauce cabernet (voir recette)**
4	**crottins de Chavignol***
quantité suffisante	**sel et poivre noir**

- Émincer le chou de Savoie.
- Dans une casserole, faire chauffer le beurre et les 2 tranches de bacon ; ajouter le chou et faire suer le tout pendant quelques minutes.
- Mouiller le chou du bouillon de volaille puis saler et poivrer.
- Faire cuire le chou tranquillement jusqu'à l'évaporation du liquide ; enlever les tranches de bacon.
- Émincer les oignons le plus finement possible.
- Dans une casserole, faire chauffer l'huile d'olive et faire suer les oignons.
- Quand les oignons seront colorés, mouiller avec la sauce cabernet et faire réduire de moitié.
- Déposer dans chaque cassolette le chou surmonté du crottin de Chavignol et napper de la sauce aux oignons.
- Mettre les cassolettes au four à 180°C (350°F) pendant 8 minutes.
- Sortir du four et servir avec des toasts ou du pain baguette.

* *Les crottins ne doivent pas être trop jeunes car cela leur donnerait un goût amer.*

ROQUEFORT

ET SA SALADE D'ASPERGES, QUELQUES FEUILLES DU JARDIN, VINAIGRETTE AU PORTO

Pour six personnes :

5 ml (1 c. à thé)	**moutarde de Dijon**
1	**œuf**
60 ml (4 c. à soupe)	**huile de maïs**
90 ml (6 c. à soupe)	**porto blanc**
2	**tomates**
18	**asperges**
100 g (3,5 oz)	**mesclun**
350 g (3/4 lb)	**roquefort**
60 ml (4 c. à soupe)	**pignons de pin**
quantité suffisante	**sel et poivre blanc**

- Pour faire la vinaigrette, fouetter la moutarde avec l'œuf et un peu d'huile dans un bol.
- Fouetter la vinaigrette en y ajoutant progressivement l'huile ; à la fin de cette opération, y ajouter le porto blanc puis assaisonner de sel et de poivre.
- Émonder les tomates, les couper en 4 et enlever la partie intérieure où il y a les pépins.
- Émincer la chair en lanières et réserver.
- Faire bouillir de l'eau pour les asperges.
- Éplucher les asperges et les faire cuire pendant 4 minutes.
- Refroidir les asperges à l'eau froide, les égoutter puis les émincer en biseau ; réserver.
- Dans un saladier, parsemer le mesclun et égrener le roquefort.
- Ajouter le quart de la vinaigrette à cette salade.
- Diviser la salade de roquefort en portions égales dans 6 assiettes.
- Garnir le dessus des salades d'asperges, de lanières de tomates et de pignons de pin.
- Ajouter de la vinaigrette selon votre goût.

On peut manger cette salade avec des toasts en accompagnement.

ST-MAURE À LA FRAGRANCE
DE SÉSAME ET PAVOT

Pour quatre personnes :

1	**bûche de St-Maure***
30 ml (2 c. à soupe)	**graines de sésame grillées**
30 ml (2 c. à soupe)	**graines de pavot**
60 ml (4 c. à soupe)	**huile d'arachide**
5 ml (1 c. à thé)	**estragon frais**
5 ml (1 c. à thé)	**basilic frais**
5 ml (1 c. à thé)	**thym frais**
quantité suffisante	**sel et poivre blanc**

- Couper la bûche de St-Maure en 4 parts égales.
- Mélanger les graines de sésame et de pavot.
- Enrober les morceaux de St-Maure de ces graines.
- Mettre les St-Maure sur une plaque allant au four.
- À l'aide d'un robot culinaire, mélanger l'huile avec toutes les herbes fraîches assaisonnées de sel et de poivre.
- Passer ensuite cette huile à l'étamine.
- Faire cuire les fromages à 180°C (350°F) pendant 3 minutes.
- Napper le centre de 4 assiettes avec 2 c. à soupe d'huile d'herbes.
- Mettre le fromage légèrement tiède sur cette huile d'herbes.

On peut manger ce fromage avec une salade.

* *Vous pouvez remplacer le St-Maure par un autre fromage de chèvre.*

STILTON ET POIRE TIÈDE

AUX RAISINS BLONDS

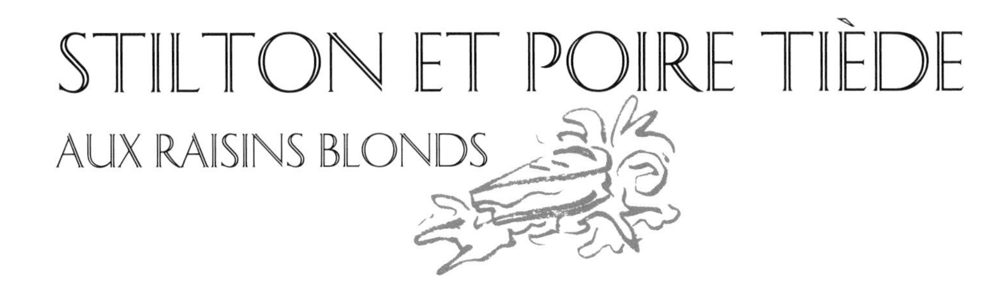

Pour quatre personnes :

2	**poires**
24	**raisins de muscat**
15 ml (1 c. à soupe)	**beurre doux**
60 ml (4 c. à soupe)	**porto**
4	**tranches de pain au maïs**
60 ml (4 c. à soupe)	**amandes fumées**
280 g (9 oz)	**stilton**
60 ml (4 c. à soupe)	**feuilles de céleri**
5 ml (1 c. à thé)	**poivre noir concassé**

- Éplucher les poires et enlever la peau des raisins.
- Émincer les fruits et les faire sauter à la poêle avec le beurre.
- Quand ils seront translucides, y ajouter le porto et laisser compoter les fruits légèrement.
- Faire griller les tranches de pain au maïs puis les couper en 2.
- Mettre une moitié de tranche de pain dans chaque assiette et napper celle-ci d'une c. à soupe de fruits tièdes.
- Ajouter les amandes fumées.
- Déposer le stilton sur les amandes et y ajouter le reste des fruits.
- Décorer de la tranche de pain restante et parsemer le tout de feuilles de céleri et de poivre concassé.

SOUPIÈRE DE FROMAGES

À L'HUILE DE GRAINES DE CITROUILLE

Pour quatre personnes :

8	**feuilles de chêne**
8	**feuilles de basilic**
24	**feuilles de persil italien**
12	**tiges de ciboulette**
1	**tomate**
60 ml (4 c. à soupe)	**croûtons en petits dés**
60 ml (4 c. à soupe)	**noix de Grenoble**
60 ml (4 c. à soupe)	**noisettes**
60 ml (4 c. à soupe)	**amandes**
120 g (4 oz)	**pont-L'évêque**
120 g (4 oz)	**bleu de Bresse**
120 g (4 oz)	**coulommiers**
60 ml (4 c. à soupe)	**huile de graines de citrouille (voir recette)**
60 ml (4 c. à soupe)	**vinaigre de raisins de Corinthe (voir recette)**
5 ml (1 c. à thé)	**poivre noir concassé**

- Laver et mélanger les feuilles de chêne avec les herbes à l'exception de la ciboulette.
- Émonder et couper la tomate en lanières.
- Mettre dans chaque assiette creuse la salade et les noix.
- Couper les fromages en 4 parties égales et en mettre un morceau dans chaque assiette.
- Y ajouter les croûtons, le poivre noir, l'huile de citrouille et le vinaigre de raisins de Corinthe.
- Laisser reposer pendant 15 minutes.
- Ajouter la ciboulette et servir.

TOAST DE CRAMIQUE

AU BEURRE D'HUÎTRES ET FROMAGE BRIE

Pour quatre personnes :

4	**tranches de cramique (voir recette)**
150 g (5 oz)	**fromage brie**
15 ml (1 c. à soupe)	**beurre doux**
20	**huîtres**
30 ml (2 c. à soupe)	**persil haché**
5 ml (1 c. à thé)	**cumin en poudre**
quantité suffisante	**mesclun**
quantité suffisante	**sel et poivre noir**

- Enlever les huîtres des coquilles.
- Écraser à la fourchette le fromage brie puis ajouter le beurre, le cumin, le persil haché et les huîtres.
- Badigeonner 4 tranches de cramique avec cette préparation, saler et poivrer légèrement.
- Déposer les tranches de cramique sur une plaque allant au four.
- Faire cuire les tranches au four à gril pendant 5 minutes.
- À la sortie du four, couper chaque tranche de cramique en deux (en forme de pointe de gâteau).
- Servir sur le mesclun avec une huile parfumée.

Ce toast peut se servir comme amuse-gueule, entrée chaude ou comme fromage.
Ce plat a été conçu pour un « menu découverte aux huîtres ». Il a remporté beaucoup de succès pour son originalité et pour la découverte de la fusion du fromage et des huîtres.

LES PAINS

Préparation du levain pour trois pains
Base pour chaque recette de pain ❦ Cramique
Pain au romarin et aux olives noires ❦ Pain au saumon fumé et à l'origan
Pain aux graines de cumin et au parmesan ❦ Pain aux oignons et au thym frais
Pain aux tomates séchées et au poivre noir

PRÉPARATION DU LEVAIN POUR TROIS PAINS :

500 ml (2 tasses)	**eau**
15 ml (1 c. à soupe)	**levure sèche**
5 ml (1 c. à thé)	**sucre**
500 ml (2 tasses)	**farine blanche**
250 ml (1 tasse)	**farine de blé entier**
15 ml (1 c. à soupe)	**saindoux**
15 ml (1 c. à soupe)	**sel**

- Verser l'eau tiède dans un cul-de-poule.
- Ajouter la levure sèche et le sucre ; laisser gonfler cette levure pendant 8 minutes.
- Fouetter ensuite cet appareil et y incorporer les autres ingrédients.
- Mélanger la pâte soit au malaxeur, soit avec les mains pendant 6 minutes (la pâte doit être homogène sans être trop consistante. Il se peut qu'on doive rajouter un peu d'eau ou de farine).
- Laisser reposer le levain recouvert d'une pellicule plastique dans un endroit tempéré pendant 24 heures.
- On préparera la sorte de pain désiré le lendemain.

BASE

POUR CHAQUE RECETTE DE PAIN

- Verser l'eau tiède dans un cul-de-poule avec la levure et le sucre.
- Laisser gonfler la levure pendant 8 minutes.
- Préparer les ingrédients de la recette de pain désirée.
- Mélanger ces ingrédients à l'eau avec la levure pendant quelques instants et y ajouter le levain.
- Mélanger le tout pendant 10 minutes afin de rendre le pain homogène avec une belle élasticité.
- Mettre le pain dans un cul-de-poule ; recouvrir la pâte d'un linge et laisser reposer la pâte dans un endroit tempéré pendant 2 heures.
- Après la première pousse, pétrir encore la pâte encore pendant 3 minutes puis lui donner une forme ronde.
- Laisser à nouveau reposer la pâte recouverte d'un linge pendant 1 heure.
- Après la deuxième pousse, prendre la pâte et lui donner la forme voulue, soit la déposer dans 3 moules rectangulaires légèrement beurrés, soit lui donner une forme ovale ou ronde.
- Beurrer légèrement la plaque de cuisson et la saupoudrer d'un peu de farine.
- Laisser à nouveau reposer la pâte recouverte d'un linge pendant 1 heure.
- Préchauffer le four à 200°C (400°F).
- Après la dernière pousse, enfourner le pain délicatement et le faire cuire de 35 à 45 minutes environ.
- Quelques minutes après l'enfournement, vaporiser les pains d'un peu d'eau froide.

CRAMIQUE

Pour deux pains :

500 ml (2 tasses)	**lait**
15 ml (1 c. à soupe)	**levure sèche**
60 ml (4 c. à soupe)	**sucre**
6	**œufs**
500 ml (2 tasses)	**raisins blonds**
1 l (4 tasses)	**farine blanche**
45 ml (3 c. à soupe)	**saindoux**
15 ml (1 c. à soupe)	**sel**

- Suivre la recette « préparation du levain ».
- Suivre la recette « base du pain ».

PAIN AU ROMARIN

ET AUX OLIVES NOIRES

Pour trois pains :

5	**branches de romarin**
500 ml (2 tasses)	**olives noires dénoyautées**
500 ml (2 tasses)	**eau**
15 ml (1 c. à soupe)	**levure sèche**
5 ml (1 c. à thé)	**sucre**
500 ml (2 tasses)	**farine blanche**
250 ml (1 tasse)	**farine de blé entier**
60 ml (4 c. à soupe)	**huile d'olive**
15 ml (1 c. à soupe)	**sel**

- Enlever les épines du romarin.
- Dénoyauter les olives noires et les hacher légèrement.
- Suivre la recette « préparation du levain ».
- Suivre la recette « base du pain ».

PAIN AU SAUMON FUMÉ

ET À L'ORIGAN

Pour trois pains :

300 ml (1 1/4 tasse)	**saumon fumé**
60 ml (4 c. à soupe)	**origan séché**
500 ml (2 tasses)	**eau**
15 ml (1 c. à soupe)	**levure sèche**
5 ml (1 c. à thé)	**sucre**
750 ml (3 tasses)	**farine blanche**
15 ml (1 c. à soupe)	**saindoux**
15 ml (1 c. à soupe)	**sel**

- Hacher au couteau le saumon fumé.
- Suivre la recette « préparation du levain ».
- Suivre la recette « base du pain ».

PAIN AUX GRAINES DE CUMIN
ET AU PARMESAN

Pour trois pains :

250 ml (1 tasse)	**eau**
250 ml (1 tasse)	**lait**
15 ml (1 c. à soupe)	**levure sèche**
5 ml (1 c. à thé)	**sucre**
750 ml (3 tasses)	**farine blanche**
125 ml (1/2 tasse)	**parmesan râpé**
125 ml (1/2 tasse)	**graines de cumin**
15 ml (1 c. à soupe)	**saindoux**
15 ml (1 c. à soupe)	**sel**

- Suivre la recette « préparation du levain ».
- Suivre la recette « base du pain ».

PAIN AUX OIGNONS

ET AU THYM FRAIS

Pour trois pains :

60 ml (4 c. à soupe)	**huile d'olive**
750 ml (3 tasses)	**oignons hachés**
60 ml (4 c. à soupe)	**thym frais**
500 ml (2 tasses)	**eau**
15 ml (1 c. à soupe)	**levure sèche**
5 ml (1 c. à thé)	**sucre**
500 ml (2 tasses)	**farine blanche**
250 ml (1 tasse)	**farine de blé entier**
15 ml (1 c. à soupe)	**sel**

- Faire chauffer l'huile d'olive* et faire suer les oignons hachés (il faut que les oignons soient bien colorés).
- Ajouter le thym frais et laisser refroidir l'appareil.
- Suivre la recette « préparation du levain ».
- Suivre la recette « base du pain ».

* *Dans cette recette, l'huile d'olive de cuisson des oignons remplace le saindoux.*

PAIN AUX TOMATES SÉCHÉES
ET AU POIVRE NOIR

Pour trois pains :

500 ml (2 tasses)	**tomates séchées**
60 ml (4 c. à soupe)	**poivre noir concassé**
500 ml (2 tasses)	**eau**
15 ml (1 c. à soupe)	**levure sèche**
5 ml (1 c. à thé)	**sucre**
750 ml (3 tasses)	**farine de blé entier**
15 ml (1 c. à soupe)	**saindoux**
15 ml (1 c. à soupe)	**sel**

- Faire tremper les tomates séchées à l'eau tiède pendant 1 heure.
- Rincer les tomates et les hacher grossièrement.
- Suivre la recette « préparation du levain ».
- Suivre la recette « base du pain ».

LES DESSERTS

Crème brûlée à l'anis étoilé et à la citronnelle
Crème anglaise au thé ❦ Crème pâtissière
Galanterie des neiges au quinoa, mousse de litchis, anis étoilé et citronnelle
Granité Campari orange et pamplemousse ❦ Glace à l'érable
Marquise au chocolat manjari ❦ Mississippi « mud pie » Chronique
Mousse au chocolat manjari ❦ Pâte à tarte ❦ Plus que parfait à l'érable
Sauce au chocolat ❦ Spéculoos
Tarte tiède aux amandes et pacanes parfumée au Jack Daniel's

CRÈME BRÛLÉE
À L'ANIS ÉTOILÉ ET À LA CITRONNELLE

Pour six personnes :

125 ml (1/2 tasse)	**lait**
300 ml (1 1/4 tasse)	**crème 35 %**
2	**branches de citronnelle**
6	**anis étoilés**
1	**gousse de vanille**
7	**jaunes d'œufs**
125 ml (1/2 tasse)	**sucre**
60 ml (4 c. à soupe)	**cassonade (pour brûler)**

- Mettre le lait, la crème, la citronnelle* finement hachée, l'anis étoilé* et la vanille dans un récipient et porter à ébullition.
- Durant ce temps, blanchir les jaunes d'œufs avec le sucre.
- Verser le lait infusé sur les jaunes et fouetter vigoureusement.
- Refroidir cet appareil dans un bol avec de la glace.
- Réfrigérer cet appareil dans un contenant de plastique fermé hermétiquement.
  Il faut absolument laisser la citronnelle et l'anis dans la préparation.
- Le lendemain, filtrer l'appareil à crème brûlée.
- Verser l'appareil dans six ramequins et faire cuire au bain-marie dans un four à 180°C (350°F) pendant 35 minutes.
- Sortir les crèmes brûlées et les laisser refroidir.
- Saupoudrer de cassonade le dessus des crèmes et les brûler à la torche ou en dessous d'un gril.

CRÈME ANGLAISE AU THÉ

Pour huit personnes :

1	**gousse de vanille**
500 ml (2 tasses)	**lait**
2	**sachets de thé**
125 ml (1/2 tasse)	**sucre**
6	**jaunes d'œufs**

- Fendre la gousse de vanille en deux dans le sens de la longueur et gratter les grains.
- Mettre les grains dans le lait avec les deux sachets de thé.
- Faire chauffer le lait jusqu'à ébullition puis y laisser infuser le thé pendant 4 minutes.
- Durant ce temps, blanchir le sucre et les jaunes d'œufs au fouet.
- Verser le lait bouillant sur les œufs et faire cuire la crème à la nappe à 85°C (170°F).
- « Chinoiser » la crème et la refroidir dans un cul-de-poule en vannant de temps en temps.

CRÈME PÂTISSIÈRE

Pour douze personnes :

500 ml (2 tasses)	**lait**
6	**jaunes d'œufs**
160 ml (2/3 tasse)	**sucre**
60 ml (4 c. à soupe)	**farine**

- Faire chauffer le lait avec le tiers du sucre et porter à ébullition.
- Dans un cul-de-poule, blanchir les jaunes et le reste du sucre.
- Ajouter ensuite la farine et mélanger le tout.
- Verser le lait bouillant sur l'appareil et faire recuire sur le feu jusqu'à son épaississement.
- Transvider la crème dans un cul-de-poule et la recouvrir d'une pellicule plastique.

GALANTERIE DES NEIGES

QUINOA, MOUSSE DE LITCHIS, ANIS ÉTOILÉ ET CITRONNELLE

Pour douze personnes :

500 ml (2 tasses)	**quinoa**
250 ml (1 tasse)	**abricots secs**
1 l (4 tasses)	**jus de pomme**
300 ml (1 1/4 tasse)	**crème 35 %**
2	**branches de citronnelle**
8	**anis étoilé**
300 g (10 oz)	**chocolat mi-amer**
300 ml (1 1/4 tasse)	**litchis**
500 ml (2 tasses)	**crème pâtissière (voir recette)**
5	**feuilles de gélatine**
500 ml (2 tasses)	**crème 35 %**

- Laver les quinoa à la grande eau pour enlever les impuretés et la poussière.
- Couper les abricots secs en petits cubes.
- Dans une casserole, mettre les quinoa, le jus de pomme et les abricots secs; porter à ébullition puis réduire le degré de chaleur et faire cuire 35 minutes (il faut que les quinoa aient absorbé tout le jus de pomme).
- Étaler cet appareil dans un cadre à pâtisserie ou un grand cercle.
- Dans une casserole, faire chauffer 300 ml de crème 35 %, la citronnelle émincée et l'anis étoilé puis porter à ébullition; laisser incuber pendant 5 minutes.
- Couper le chocolat en morceaux et y ajouter la crème filtrée.
- Mélanger cet appareil à l'aide d'un fouet pendant 1 minute puis verser la ganache ainsi formée sur les quinoa.
- Éplucher et émincer les litchis et les ajouter à la crème pâtissière.
- Ramollir la gélatine dans l'eau froide.

- Dans une casserole, faire chauffer 80 ml (1/3 tasse) de crème et y dissoudre les feuilles de gélatine.
- Monter le reste de la crème en fleurette et réserver.
- Verser la crème avec la gélatine sur la crème pâtissière et y ajouter la crème fleurette ; fouetter énergiquement.
- Verser cet appareil sur la ganache puis égaliser à la spatule.
- Mettre au congélateur pendant 24 heures.
- Le lendemain, sortir le dessert du congélateur et le couper en 12 portions égales.
- Servir avec une crème anglaise au thé (voir recette).

GRANITÉ CAMPARI

ORANGE ET PAMPLEMOUSSE

Pour six personnes :

8	**oranges**
4	**pamplemousses**
1	**citron**
250 ml (1 tasse)	**Campari**

- Presser tous les fruits et les mélanger au Campari.
- Mettre le liquide dans un contenant en plastique plus large que haut.
- Faire congeler le liquide tout en prenant soin de le mélanger 4 fois à toutes les 30 minutes.
- Recouvrir le granité d'un couvercle et le servir 24 heures plus tard.

GLACE À L'ÉRABLE

Pour huit personnes :

7	**jaunes d'œufs**
500 ml (2 tasses)	**sirop d'érable**
300 ml (1 1/4 tasse)	**crème 35 %**

- Dans un cul-de-poule, blanchir les jaunes d'œufs et le sirop d'érable.
- Faire cuire au bain-marie en fouettant de temps en temps et jusqu'à ce que l'appareil atteigne la température de 80°C (165°F).
- Retirer du bain-marie et laisser refroidir pendant 3 heures.
- Fouetter la crème 35 % et y incorporer l'appareil composé des jaunes d'œufs et du sirop.
- Verser la glace dans un contenant hermétique et la mettre au congélateur pendant 24 heures au moins.

Alex, un de mes anciens collaborateurs. avait le bec sucré.
Il n'a donc pas dû me tordre le bras pour que je goûte à sa concoction.
Après quelques modifications, il me fait plaisir de vous offrir cette merveilleuse recette.
Cette glace est en accord parfait avec la tarte tiède aux amandes et pacanes parfumée au Jack Daniel's.
(voir recette)

MARQUISE
AU CHOCOLAT MANJARI

Pour huit personnes :

125 ml (1/2 tasse)	**chocolat manjari**
6	**jaunes d'œufs**
160 ml (2/3 tasse)	**sucre**
250 ml (1 tasse)	**beurre doux**
125 ml (1/2 tasse)	**cacao**
300 ml (1 1/4 tasse)	**crème 35 %**

- Faire fondre le chocolat au bain-marie.
- Dans un cul-de-poule, blanchir les jaunes d'œufs et le sucre et les incorporer au chocolat fondu.
- Mettre le beurre à la température de la pièce.
- Fouetter le cacao et le beurre pour rendre l'appareil homogène.
- Fouetter le tout pour obtenir un appareil consistant.
- Ajouter la crème 35 % liquide et continuer de fouetter (l'appareil sera plus crémeux).
- Chemiser un moule à pain d'une pellicule plastique et y verser l'appareil à marquise.
- Tapoter le moule sur la table pour que la marquise se tasse partout dans le moule.
- Laisser refroidir la marquise au réfrigérateur pendant 12 heures avant de la démouler.
- Pour couper la marquise en tranches, passer un couteau à l'eau chaude avant.
- Lors du service, sortir la marquise du réfrigérateur 10 minutes avant puis couper la marquise en tranches épaisses.

Servir cette marquise avec une crème anglaise au thé (voir recette)

MISSISSIPPI « MUD PIE » CHRONIQUE

Pour dix personnes :

200 ml (3/4 tasse)	**sucre**
125 ml (1/2 tasse)	**beurre**
3	**œufs**
5 ml (1 c. à thé)	**sel**
5 ml (1 c. à thé)	**extrait de vanille**
125 ml (1/2 tasse)	**farine**
125 ml (1/2 tasse)	**noix de coco râpée**
5 ml (1 c. à thé)	**poudre à pâte**
200 ml (3/4 tasse)	**sauce chocolat (voir recette)**
60 ml (4 c. à soupe)	**tequila**
500 ml (2 tasses)	**mousse au chocolat (voir recette)**

- Dans un malaxeur, blanchir le sucre et le beurre.
- Ajouter progressivement les œufs, le sel et l'extrait de vanille.
- Ajouter la farine, la noix de coco et la poudre à pâte.
- Mélanger intimement le tout.
- Beurrer et fariner un moule à gâteau.
- Verser l'appareil à « mud pie » dans le moule.
- Faire cuire au four à 180°C (375°F) pendant 25 minutes.
- Durant ce temps, faire chauffer la sauce au chocolat.
- À la sortie du four, imbiber le gâteau de tequila et y verser immédiatement la sauce au chocolat.
- Laisser refroidir le « mud pie ».
- Préparer la mousse au chocolat et recouvrir le « mud pie » de celle-ci.
- Avant de servir, laisser reposer le « mud pie » au réfrigérateur pendant 24 heures.

Déposer une cuillère de « mud pie » dans chaque assiette et servir avec une bonne crème glacée ou encore mon execellente glace à l'érable (voir recette).

MOUSSE AU CHOCOLAT MANJARI

Pour huit personnes :

250 ml (1 tasse)	**couverture manjari**
125 ml (1/2 tasse)	**lait**
45 ml (3 c. à soupe)	**sucre**
3	**jaunes d'œufs**
250 ml (1 tasse)	**crème 35 %**

- Faire fondre la couverture manjari au bain-marie.
- Faire une crème anglaise avec le lait, le sucre et les jaunes d'œufs (voir recette crème anglaise au thé).
- Verser ensuite la crème anglaise sur le chocolat et mélanger intimement.
- Monter la crème 35 % en fleurette et l'incorporer au chocolat en la mélangeant à la marise.
- Surtout ne pas la mélanger au fouet.
- La verser délicatement dans un récipient ou encore dans des ramequins.

Le chocolat manjari de la Maison Valrhona est l'un des meilleurs chocolats qui soient.

PÂTE À TARTE

Pour six personnes :

250 ml (1 tasse)	**farine**
80 ml (1/3 tasse)	**beurre doux**
80 ml (1/3 tasse)	**eau froide**
1	**œuf**
1 pincée	**sel**

- Mélanger la farine et le sel dans un cul-de-poule.
- Ajouter le beurre en pommade, l'œuf et l'eau.
- Pétrir la pâte sans trop la travailler.
- Emballer cette pâte dans une pellicule plastique et la laisser reposer au réfrigérateur pendant 60 minutes.
- Abaisser ensuite cette pâte pour obtenir un cercle.
- Déposer la pâte dans un moule à tarte et piquer le fond avec une fourchette.
- Déposer une feuille de papier ciré sur la pâte et y verser des haricots secs.
- Faire cuire au four à 200°C (400°F) pendant 25 minutes.

PLUS QUE PARFAIT À L'ÉRABLE

Pour huit personnes :

30 ml (2 c. à soupe)	**beurre**
60 ml (4 c. à soupe)	**sirop maïs**
2	**œufs**
250 ml (1 tasse)	**farine**
10 ml (2 c. à thé)	**poudre à pâte**
90 ml (6 c. à soupe)	**lait**
60 ml (4 c. à soupe)	**amandes moulues**
1	**orange en zeste**
1	**citron en zeste**
250 ml (1 tasse)	**cassonade**
375 ml (1 tasse)	**crème 35 %**
250 ml (1 tasse)	**sirop d'érable**

- Dans un cul-de-poule, mélanger le beurre, le sirop de maïs et les oeufs.
- Incorporer la farine, la poudre à pâte, le lait, les amandes moulues, les zestes d'orange et les zestes de citron.
- Mélanger le tout et verser ensuite cet appareil dans un moule beurré.
- Dans un cul-de-poule, mélanger la cassonade et la crème 35 %.
- Verser cette crème par-dessus le gâteau.
- Faire cuire au four à 175°C (350°F) de 40 à 50 minutes.
- À la sortie du four, verser le sirop d'érable sur le gâteau et le laisser refroidir.

On peut servir ce gâteau avec mon excellente glace à l'érable (voir recette).

SAUCE AU CHOCOLAT

Pour huit personnes :

125 ml (1/2 tasse)	**lait**
45 ml (3 c. à soupe)	**crème 35 %**
45 ml (3 c. à soupe)	**sucre**
125 ml (1/2 tasse)	**chocolat**

- Porter à ébullition le lait, la crème 35 % et le sucre.
- Mettre le chocolat dans un cul-de-poule et verser la crème bouillante par-dessus.
- Bien mélanger le tout.
- Garder la sauce chocolat au bain-marie.

SPÉCULOOS

Pour une recette :

200 ml (3/4 tasse)	**beurre**
250 ml (1 tasse)	**cassonade**
375 ml (1 1/2 tasse)	**farine**
1	**œuf**
5 ml (1 c .à thé)	**bicarbonate de sodium**
5 ml (1 c. à thé)	**sel**

- Mettre le beurre à la température de la pièce (environ 2 heures avant).
- Ensuite mettre le beurre dans un cul-de-poule et y ajouter la cassonade, la farine, l'oeuf, le sel et le bicarbonate de sodium.
- Mélanger le tout intimement et former quatre cylindres.
- Étaler une pellicule plastique sur la table, et y emballer les cylindres.
- Laisser reposer les spéculoos au réfrigérateur pendant 24 heures au moins.
- Déballer les cylindres et les couper en tranches de 5 mm d'épaisseur.
- Les étaler sur une plaque légèrement beurrée et les enfourner à 180°C (350°F) pendant 20 minutes environ.
- Sortir les spéculoos du four et les laisser refroidir sur une grille.

Les spéculoos sont une spécialité belge.
Ils représentent des figures imaginaires pouvant mesurer de 10 cm à 1m de hauteur.
Cette spécialité se prépare tout particulièrement pour la Saint-Nicolas qui se fête le 6 décembre de chaque année.

TARTE TIÈDE

AUX AMANDES

ET PACANES PARFUMÉE AU JACK DANIEL'S

Pour huit personnes :

2	**œufs**
80 ml (1/3 tasse)	**sucre**
30 ml (2 c. à soupe)	**beurre doux**
80 ml (1/3 tasse)	**Jack Daniel's**
1 ml	**vanille**
80 ml (1/3 tasse)	**sirop de maïs**
1	**fond de tarte (voir recette)**
80 ml (1/3 tasse)	**chocolat**
60 ml (4 c. à soupe)	**noix de pacanes**
60 ml (4 c. à soupe)	**amandes broyées**

- Dans un cul-de-poule, blanchir les œufs et le sucre.
- Faire fondre légèrement le beurre et l'incorporer aux oeufs et au sucre.
- Ajouter le Jack Daniel's, la vanille et le sirop de maïs.
- Bien mélanger le tout afin d'obtenir une masse onctueuse.
- Dans l'abaisse d'une tarte, déposer le chocolat en petits morceaux, les noix de pacanes et les amandes broyées.
- Verser l'appareil à Jack Daniel's sur les noix.
- Faire cuire au four à 180°C (375°F) pendant 35 minutes.
- Retirer la tarte du four et laisser refroidir sur une grille.

La tarte est plus savoureuse lorsqu'elle est tiède.
On peut également l'agrémenter de mon excellente glace à l'érable (voir recette).

Lexique

Explication des termes culinaires

Blanchir : Plonger un aliment cru dans un liquide bouillonnant quelques instants.

Brunoise : Désigne la façon de tailler les légumes en dés minuscules de 1 ou 2 mm de côté.

Chemiser : Enduire ou tapisser les parois ou le fond d'un moule avec une préparation.

Chinoiser : Verser un liquide ou d'autres substances à l'aide d'un chinois.

Dégorger : Faire tremper dans l'eau froide en la renouvelant plusieurs fois.

Dénerver : Enlever les parties nerveuses d'une pièce de viande crue.

Émincer : Couper en lamelles, en tranches ou en rondelles plus ou moins fines.

Émulsion : Préparation obtenue en dispersant un liquide dans un autre avec lequel il ne se mélange pas.

Fleurette : Monter ou fouetter une crème sans lui donner trop de corps, pour qu'elle reste liquide, et qu'elle garde une consistance épaisse.

Frémir : Frémissement qui précède l'ébullition. La cuisson de certains mets à l'eau, au court-bouillon ou au lait demande que le liquide soit maintenu frémissant pendant un certain temps.

Julienne :	Préparation de plusieurs légumes taillés en filaments.
Mélanger intimement :	Mélanger tout simplement avec amour.
Mirepoix :	Légumes taillés en dés plus ou moins gros.
Mouiller :	Mouiller la préparation du liquide dans la recette.
Napper :	Verser sur un mets une sauce, un coulis, une crème, etc., de manière à recouvrir aussi complètement et uniformément que possible.
Pocher :	Faire cuire les aliments en maintenant une faible ébullition dans un mouillement.
Réduire :	Laisser cuire ou frémir pour obtenir la quantité voulue.
Suer :	Cuire à chaleur douce un aliment dans un corps gras sans le faire colorer.
Vanner :	Action de remuer une crème ou un appareil avec une spatule.

Définition des aliments

Aduki :	Petit haricot rouge d'Asie.
Christofine :	Légume de la famille des courge, aussi appelé chayote.
Soba :	Pâte japonaise à base de farine de sarrasin.
Jicama :	Légume ressemblant à une courge pâtisson qui a un goût sucré aux accents de poire.
Tamari :	La sauce tamari japonaise est de la même famille que la sauce soja mais est de meilleure qualité.
Shiitake :	Champignon très parfumé que l'on retrouve dans les marchés orientaux; ce champignon est de plus en plus commercialisé à l'état frais.
Mirin :	Vin de riz à la saveur sucrée et employé uniquement dans la cuisine.
Nuoc mam :	C'est une sauce à base de poisson qui sert aussi bien d'assaisonnement que de condiment de table au même titre que la sauce soja.

Sambal oelek :	Mélange de piment en pâte fréquemment utilisé dans la cuisine indonésienne.
Abné :	Yogourt pressé que l'on met dans un coton à fromage et que l'on presse pour ne conserver que la masse solide.
Wasabi :	Racine d'une variété de raifort vert japonais à la saveur puissante.
Quinoa :	Céréale originaire du Pérou qui est selon certains la céréale de l'avenir.
Stoemp :	Ce plat d'origine belge est un mélange de pommes de terre et de légumes.
Seitan :	Aliment spongieux fait à partir des protéines du blé (gluten).
Tempeh :	Le tempeh est un mélange de soja broyé et de ferment.

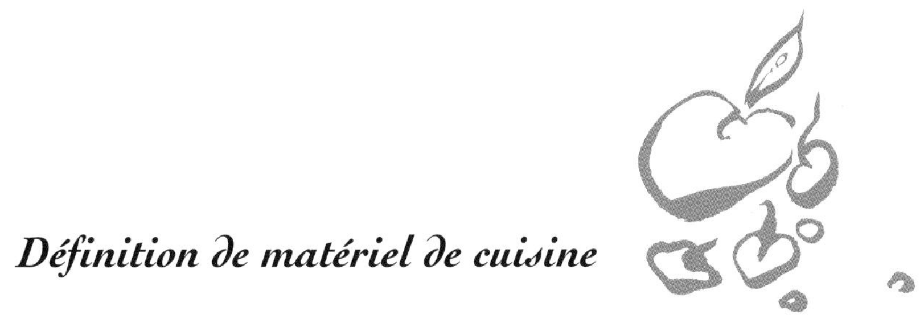

Définition de matériel de cuisine

Bain-marie:	Procédé destiné à tenir un appareil au chaud.
Chinois:	Passoire conique servant à filtrer les sauces et d'autres liquides.
Coton à fromage:	Tissus de coton servant à emballer divers produits alimentaires.
Cul-de-poule:	Bassine en acier inoxydable, en cuivre ou en plastique.
Emporte-pièce:	Ustensile rond, ovale ou triangulaire permettant de découper des abaisses de pâte.
Étamine:	Tissu peu serré employé pour passer une sauce ou un coulis.
Laminoir:	Machine à rouler uniformément les pâtes alimentaires.
Mandoline:	Coupe-légumes réglable permettant d'avoir une coupe régulière.
Passe-légumes:	Ustensile permettant de broyer et passer une purée de légumes.
Silpad :	Feuille de cuisson faite d'un alliage qui empêche les aliments de coller.

Index par produit

Fin (Faim?)